在日朝鮮人資料叢書15

井上學／樋口雄一編

日本朝鮮研究所初期資料

一九六一〜六九

2

緑蔭書房

凡　例

一、本復刻版の判型（Ａ５判）にあわせて原文を縮小使用した。

一、原本中、今日不適切と思われる表現があるが、歴史的文献であることを考慮
　　し原文のまま掲載した。

一、原文中の書込みはそのまま残した。

一、原文が手書き原稿で読みにくいもの及び不鮮明のものは新組にした。

一、解説１・２及び「日本朝鮮研究所のあゆみ」は第３巻の巻末に収録した。

一、縦組のものはⅢの末尾、Ⅳの1968年の末尾に付した。

目 次

Ⅲ　定期総会資料 ————————————————————— 1

日本朝鮮研究所創立三周年　第四回総会　1964年12月5日・6日…………3
日本朝鮮研究所第5回定期総会資料　1966年2月13日………………………33
日本朝鮮研究所第6回定期総会資料　1967年2月12日………………………59
日本朝鮮研究所第7回定期総会資料　1968年2月18日………………………81
日本朝鮮研究所第8回定期総会資料　1969年2月23日……………………105
日本朝鮮研究所創立二周年　第三回総会　1963年12月11日…………*53*(162)
日本朝鮮研究所臨時総会・団規約　1963年5月2日………………………*49*(166)
日本朝鮮研究所創立一周年　第二回総会　1962年11月16日……………*1*(214)

Ⅳ　運営委員会資料 ————————————————— 215

1968年

第1回運営委員会で決ったこと　2月28日…………………………………219
　［別紙］(案)日本朝鮮研究所「所債」募集についてのお願い………………223
第9回運営委員会の決定　7月9日…………………………………………225
西田氏(たち)と研究生との話合　7月13日………………………………227
第10回運営委員会(臨時)　7月18日………………………………………228
第11回運営委員会(臨時)　7月19日………………………………………228
第12回運営委員会(定例)　7月24日………………………………………229
第13回運営委員会(臨時)　7月28日………………………………………229
第14回運営委員会　8月6日………………………………………………230
第15回運営委員会　8月19日………………………………………………231
第16回運営委員会　8月26日………………………………………………232
第17回運営委員会　8月27日………………………………………………233

第18回運営委員会　8月30日‥‥‥‥‥‥‥‥‥‥‥‥‥‥‥‥234

第19回運営委員会　9月9日‥‥‥‥‥‥‥‥‥‥‥‥‥‥‥‥234

第20回運営委員会　9月13日‥‥‥‥‥‥‥‥‥‥‥‥‥‥‥‥236

いままでの討論の要約‥‥‥‥‥‥‥‥‥‥‥‥‥‥‥‥‥‥‥237

私の考え（［佐藤勝己］第18・19・20回運営委員会関連）‥‥‥‥‥‥‥240

第21回運営委員会　9月17日‥‥‥‥‥‥‥‥‥‥‥‥‥‥‥‥242

第22回運営委員会　9月21日‥‥‥‥‥‥‥‥‥‥‥‥‥‥‥‥245

第23回運営委員会　9月28日‥‥‥‥‥‥‥‥‥‥‥‥‥‥‥‥247

第24回運営委員会　10月2日‥‥‥‥‥‥‥‥‥‥‥‥‥‥‥‥249

第25回運営委員会　10月8日‥‥‥‥‥‥‥‥‥‥‥‥‥‥‥‥250

第26回運営委員会　10月14日‥‥‥‥‥‥‥‥‥‥‥‥‥‥‥‥253

総括―研究の姿勢を中心に‥‥‥‥‥‥‥‥‥‥‥‥‥‥‥‥‥254

［研究所再建案　梶村秀樹］‥‥‥‥‥‥‥‥‥‥‥‥‥‥‥‥‥257

日本朝鮮研究所の再けんについての私案　10月1日［樋口雄一］‥‥‥‥‥259

訴え　日本朝鮮研究所運営委員会（『朝鮮研究』第78号　1968年10月）‥‥‥‥*1*(262)

1969年

第1回運営委員会の決定　3月5日‥‥‥‥‥‥‥‥‥‥‥‥‥‥‥265

第4回運営委員会議題　4月12日‥‥‥‥‥‥‥‥‥‥‥‥‥‥‥269

第6回運営委員会決定のお知らせ　5月10日‥‥‥‥‥‥‥‥‥‥‥271

第7回運営委員会決定のお知らせ　5月24日‥‥‥‥‥‥‥‥‥‥‥274

第8回運営委員会決定のお知らせ　6月13日‥‥‥‥‥‥‥‥‥‥‥275

第九回運営委員会議題　6月28日‥‥‥‥‥‥‥‥‥‥‥‥‥‥‥278

第九回運営委員会で決ったこと‥‥‥‥‥‥‥‥‥‥‥‥‥‥‥‥279

お知らせ　7月6日‥‥‥‥‥‥‥‥‥‥‥‥‥‥‥‥‥‥‥‥283

　［別紙］拡大編集会議資料　284

　　私見［「特殊部落」発言への批判に対する日本朝鮮研究所の対応の経緯をまとめ

　　た文書］　289

第11回運営委員会討議資料　7月26日‥‥‥‥‥‥‥‥‥‥‥‥‥‥‥298

第11回運営委員会決定のお知らせ　7月26日‥‥‥‥‥‥‥‥‥‥‥302

財政の現状と問題点（第15回運営委員会関連資料）　佐藤勝巳‥‥‥‥‥‥‥309

第18回運営委員会決定　10月9日‥‥‥‥‥‥‥‥‥‥‥‥‥‥‥‥‥316

Ⅲ　定期総会資料

最朝鮮研究所創立三周年
第 四 回 総 会

一 般 報 告

1. 1936年11月より1964年までの1年間は、前年度に、ひきつづき日韓会談の問題を中心に、朝鮮に対する関心は高まりひろがった。とくに 1)南朝鮮人民の斗争 2)朝鮮民主主義人民共和国の発展と日朝間の各種交流事業の前進 3)平壤のアジア経済セミナーの開催と北京科学シンポジウム開催は、われわれの諸活動の発展に有利な条件をもたらした。また国内では、日朝友好運動が一歩前進を示すとともに、学術面では朝鮮史研究会次2回全国大会や近代日朝関係史研究会の開催をはじめ、日朝学術交流促進の会が、日朝往来実現の署名運動のなかから組織されるといった新しい局面を示した。

　　一方、保守派は、「東南アジア研究センター」「現代中国研究会」そして「アジア・アフリカ言語文化センター」を設置する等、良心的な学者・研究者の反対や期待と無関係に自らのプログラムを進め、また日本国際問題研究所やアジア・経済研究所によって学者の結集と研究をおしすすめようと努めている。朝鮮学会は南朝鮮の学者を招請するなど日韓学術交流の促進につとめながら、北朝鮮との文献交流も行い、一応日本の研究者を集めているが、朝鮮研究を今后いかに発展させるかという点において、明確さを欠き、さらには、学会の継承者と、学会創設・指導層との間に断層が生じ、一種の分化現象を示している。

2. こうした状態のなかで、わが研究所は、設立の趣旨を実現するため、3年目の諸活動にとりくんだ。日本人の朝鮮観を改めて正して行くという仕事をひきつづき推進し、学問認識の方法において、植民地研究＝地域研究から

（1）

Ⅲ　定期総会資料　5

〔具体的には朝鮮と日本を　内地と外地という見方でとらえている〕

離脱し、日本人の立場からの統一的綜合的研究を必要とする方向を明らかにした。論理のひずみを指摘し、それを正すことを諸活動のなかで強調した。それは朝鮮と互恵平等に交流して行こうと望み奮斗している人びとの運動にも貢献した。つまり朝鮮に対する「責任の不在、認識の不足、発展する現実に盲目」を自覚する日本人の朝鮮研究が日本それ自体にプラスとなることをいくらかでも広めたからである。それらは、研究・発表・普及という形をとりながらすすめられた。そして一昨年北京で調印した「日・朝・中学術文化交流促進に関する共同声明」の実践のひとつとしてとりくまれた仕事は、日・朝・中三国人民の連帯の伝統をほりおこし、その今日的意義と展望をうちだすという成果をえた。同時に両国別に所員の研究と協力関係が強化され、所活動を前進させる原動力となった。

3、　日本人各層からの研究所への期待や要望は、少しづつ高まってきた。しかしながらそれにこたえて行くための活動は十分であったかというと、全く不十分であった。

〔充分な　成績で〕

学界、政経界、友好運動の三分野にわけて考えてみれば、友好運動にのみ「運動の理論化」という点で大きな貢献をしたといえるが学界および政治経済界にはつながりをもつ程度にすぎなかった。一言でいえば研究の深化と蓄積における不十分さ、それを推進する体制の弱さにある。「研究所の存在意義と任務」に対する認識の浅さにもその因があろう。所員各員の多忙さ、とくに常勤者不在であること等から、研究、事業活動の全面的発展は、弱点を残した。また縷

（2）

……なる所機成が義務と権利を日常活動のなかで いくらか不明確にするという側面もあった。朝鮮研究者の結集もまだまだ不十分に終った。

4　　財政状態は、ひきつづき困難をきわめた。とくに１９□年１□月期は（赤字問題は具体的な設計と…のもとに）苦慮をかさねた。しかし春与扇恵をもかねた三役ならびに常任理事の不屈の意志と一致団結により、募金・拠金を実行しつ、危機的苦境をのりこえ、後半に入り、出版事業をはじめ、３年間の実績をみのらせる仕事に全力をあげた。

その結果、新年度は高次元での財政活動に展開しうる基盤をつくりあげたのである。もちろん朝鮮という分野は研究でも出版でも運動でも、それ独自では財政的に成り立ちやすいという常識が支配している。運動の面でそれが少しづつ打破られてきている。そしていま、研究の分野でも、うち破ろうとしているのが われわれの研究所ではないか。まだしばらくは苦しみに耐えねばならないだろうが 新年度は打開と飛躍的発展の道がひらけているのである。

５　　以上のような成果と欠陥をより具体的にまとめつつ、本格的な研究所をつくりあげて行くために

イ．過去１年間、全体としてみれば 研究所の存在意義を内外共に明確にした。

ロ．自力で基礎をきずいてきた実績を正当に評価し、

（3）

さらに実力をつける。

ハ. そのために、内の団結、外をひろめ、統一を一朝瞬に
するにとが必要である。

事 業 活 動 報 告

1. 機関誌活動についての方針は

①定期刊行と編集委員会の確立、②年間編集プラン作成
にもとづき、研究成果を十分に反映させる、③会員の倍化
④活版化の実現　であった。それに沿ってすすめられ、198◯
年6月には機関の活版化を実現した。編集委員会も定期化
され、審員の集中度に難点はあったが、長期プランを作成し、実務
も分担しあって、ひろく内外の研究成果を、反映させる努力をつづ
けた。その結果、「朝鮮研究」の存在がようやく権威も高ま
りつつある。

しかし会員の倍加という方針については実現しえないままで終っ
た。とりわけ販路のせまい分野ゆえ困難であることはわかる
が、立案し、原稿を集め、印刷、発行し、そして配布し、会員を獲得
して行くという活動が、全体として、作る段階でとどまっていたとい
える。広告をだしただけ、書店にならべただけでは、消化できな
いという現実を知りすぎているわれわれの問題とすべき点であ

8　第四回

ろう。

「朝鮮研究」が活版発行になってから原稿の集まりがよくなり、それは飛躍的に内容の充実をもたらした。しかし本会専門家の力を網羅するまでにいたっていないところが弱点であるが、逆にいえば開拓すべき余地をもっているということでもある。執筆陣をひろげ、あわせて読者層をひろげる努力のうちに、この活動が財政活動の重要な一部分を構成するようにしなければならない。

編集長 渡部
委　員　畑田、小沢、旗村、守野、富田、中神、川越、楠原、斉藤、藤島、野田。

二、出版活動に関しては、朝鮮慶のパンフレット「私たちの生活と日韓会談」「日本の将来と日韓会談」発行の経験から、自力で年に何冊か出版する方針をきめた。その結果、単行本「日・朝・中三国人民連帯の力量と理論」を発行することができた。それは、安藤、寺尾、富田、長岡、才元、幼方、小沢、旗村、楠原、渡部、中神らの協力で発刊された。配布にも所員一同協力し、財政活動の一助ともなり、研究所の展望をきりひらいた。その他現在出版準備中のものに、朝研シリーズとして、「日朝学術交流のいしずえ」「朝鮮民主主義人民共和国統計集」「民族教育」等がある。

中国研究所・アジアアフリカ研究所等、勤の「アジア・アフリカ講座」の発行は目下印刷中であり、出版社に対する工作の端口をつかんだ。

（5）

単に知識をもった先生の本法講義ではなく
当面の運動の発展のために、研究成果を学ぶにおえるべく込込と
結合する方向づくりに努むこと

3. 啓蒙普及活動では

① 講師の派遣活動：日朝協会、平和民主団体、各種研究機関、学生青年学校、地域サークル等の要請に従って、各所員の派遣を行いました。講師団結成までにはいたらなかったが、この活動を通して、"朝鮮研究"を支えて行く広範な層を発見し、それとの結びつきの条件をつくったのが成果である。　しかし目下の一般的要望に応える講師は数が少いところから、所員を中心に、講師の養成が急務とされると思う。

② 講座の開催は、創立3周年記念公開講座と称する講座の開催をのぞいては、とりくむことができなかった。またこの研究所も館の講座も実現できなかった。講座そのものがテーマと講師をきめれば、かんたんに事務的処理でかたむという経験から、つまり事務局の余力如何ということが能不能の中心になっていたことが反省すべき点である。各種講座実施の意見は数多くだされているが、何のために、または一致しても、誰のために、どんなテーマで、誰が責任をもって開催するかという点で明確でなかった。とくに今回、本センター中級の予報は友おいなければならない。

4. 学術交流では　　カンパ5万　　収入20万

① 1964年北京シンポジウムに所として正式に代表1名を派遣したが、その準備活動のなかで諸団体、研究機関と協力して、その成功のために活動し、国内交流のワクを拡大した。

② 北京シンポジウム参加の所員4名と各分野代表7名との11名から

(6)

なる訪朝団を編成する労をとり、朝鮮側の招きに応じて、日本朝鮮研究所訪朝学術代表団として、また、北京シンポジウムの成果の具体的発露として朝鮮訪問をおこなった。

とくに安藤副所長、寺尾専務理事は昨年につづき、訪朝し、第1次訪朝代表団がまとめた実務協約を具体化することに成功した点を評価すべきである。　朝鮮側が一般的にではなく、分野別の学術交流を求めるという新局面をもたらし、この第2次訪朝団はそれにこたえ発展させる仕事を遂行した。　帰国後も交流事業を専門分野で推進するとの決意をかためるなど、新しい成果をみせている。　研究所としてもそれらの研究籍を通じて、目をひろげ厚味を加える条件をえたといえる。　訪朝者のほとんどが研究所への参加を希望していることも、身近が応成果のひとつである。

③　文献資料の交換では、朝鮮科学学院、社会科学院との交換が進んでいるが、交流の政略性からいえば、まだ充分ではない。　財政問題とからむが、創意工夫の上、あっせん活動もふくめて、その不十分さを改善しなければならない。

④　国内交流では、中研、AA研との違いがいよいよ高まり、日常の組織連絡機能から、北京シンポジウムの勝利をへて、ますます協力関係がつよまっている。　考古学沖縄史研究会とは、研究テーマの関連性から常任研究への発展するよう積極的にすすめている。

朝鮮研究会とも機能を得る機会に恵まれてきている。とくに新農村

(7)

の中央圏係者が多くこの会に参加しており、そこからっ自覚的な発言提案もでてきている。　朝鮮史研究会のはたしてきた役割も評価しながら、今右の提携、協力を具体的に進める必要がある。

　日朝協会をはじめとする、友好運動団体との協力関係は、われわれの研究成果を広める活動のなかで、かたく結びついている。日朝協会本部との間には、8月、手続き上の不備から誤解をまねいたが、円満解決の方向へ進んでいる。

　その他、目下、文献資料の寄贈は約60種に及んでいる。

⑤　在日朝鮮人との連携では、科協との相互交流をはじめ、朝鮮大学、朝鮮問題研究所等との間に行っており、一層、発展強化の傾向を辿っている。

⑥　現在、季刊までになり、不自由な状態になっている事務所を拡充する方針をもったが、成功しなかった。事務所と研究会

⑦　年ごとに事業活動を拡大し、その内容は多彩をきわめている。　活動自体を支えているのは所員であるが、現在の事務局では消化しきれない段階にきている。　機関運営が正常化されてくるに従い処理すべき実務も多くなってくる）

る構成されるといいたいから
か に依拠せ

それが十分かな とりくみに あって実務能力を
発揮され、解決されるというようにはす進ま
なかった。

(8)

1963年11月〜1964年10月　収支決算.

収　入　の　部		支　出　の　部	
所　　費	181.200	交　通　費	228.141
賛助会費	66.200	通　信　費	306.926
事業収入	571.495	事　務　費	58.803
〃（特）	1.132.948	資　料　費	173.460
寄　付　金	110.740	印　刷　費	612.450
雑　収　入	17.505	会　議　費	152.444
借　入　金	1.202.000	渉　外　費	236.990
前年度くり込金	30.281	光　熱　費	31.795
		家　　賃	167.000
		諸　手　当	201.300
		雑　　費	47.021
		返　済　金	994.428
		次年度くり込金	20.371
	3.312.369		3.312.369

貸　借　対　照　表

資　産　の　部		負　債　の　部	
現金・預金	20.371	借入金	1.202.000
未収金	1.278.187	前年度繰入金	600.778
売掛金	500.000	未払金	1.035.438
在　庫	233.750	預貸金	26.790
欠　損	632.798		
	2.865.006		2.865.006

（9）

新 年 度 予 算

収 入 の 部		支 出 の 部	
所　費	320.000	総 務 費	600.000
賛助会費	600.000	諸 手 当	960.000
寄付金	500.000	研 究 費	340.000
事業収入	~~1.200.000~~ 2.800.000	印刷刊行費	2.160.000
広　告	480.000	資 料 費	240.000
雑収入	100.000	返 済 金	500.000 ~~1.200.000~~
	~~4.800.000~~ 6.000.000.		~~4.800.000~~ 6.000.000

所 員 総 数	95名（101名）
（準所員）	7名
賛 助 会 員 数	46名
和等研究購読冊数	353冊
〃　〃　交換　〃	62冊
〃　〃　寄贈　〃	123冊
（合　計	686冊）

(10)

所員名簿

理事長 1 古屋　貞一雄

副理事長 2 鈴木　巍博郎

3 旗田　五人助

4 寺尾　方内腰

専務理事 5 牧野　喜理一雄

監査 6 宮　一秀久男子

常任理事 7 相川　元神下山野

8 秋元　文芳

9 石野　一

10 中神　三

11 蘇下　郎郎則郎

12 森山

13 星野

14

15

顧問 16 青山　売和禄寿楽一郎

17 末松　公保専政喜太郎夫

18 （上）畑原　宇林　校師　近喜学

19 畑田　彦直

20 古林　郡

所長 21 安藤

副所長 22 畑田

23 渡

幹事 24 吉作夫樹造三輔介肉子

25 直有益秀卓敬賢宇節

26 方沢村村藤越元野島田

27 幼小裾加川木中藤宮

28 大

29

30

31

32

33

所員 34 新印飯植小岡與岡秋大菅観摩楠

35 井南田村切漱村本本野槻野井

36 雄志進雄郎一男邸夫徳臣陽子治

37 秀四浩明三芳鈴陽利

尊雄夫好彦治直雄一二二宏蔡政美雄人一司進介與宜一一

政茂　一　　孝杜恒　　正

　　　　　　　吉彰貞博守武　良吉康洋雄

77
78
79
口师内　川原永江瀬浦原森崎呂上岡藤松本江岡城田口　宇
80
81
82
83
84
85
野土林竹原早平福堀散松宮宮宮三村村武村山安吉結知樋　夫

86
87
88
89
90
91
92
93
94
95
96
97
98
99
100
101
　　　　　　　　　　　　　　　　　　西　宇　夫
　　　　　　　　　　　　　　　　　　○印　理　學

男×勇塵郎男。三巳浩夫助久衛英郎×誠臣×三男茂亀勲夫志。三孝良郎之×
森久一秋謙勝丈伝博兵朝二種賢幸友文高礼栄淳一正
谷林松林藤川藤井名川井庄木木辺島本田井崎本笠上野村島尾井
桑小小小斉指佐桜新新白塩鈴鈴田副竹玉鶴塚磨東中中新仁番
所員49　50　51　52　53　54　55　56　57　58　59　60　61　62　63　64　65　66　67　68　69　70　71　72　73　74　75　76

(12)

3ヵ年の総括

　研究所が正式に発足してからまる三年がたちました。この間、さまざまな苦難と、もろもろの経験をつんで、今、わが暴朝鮮研究所は、全くありたい次元にたって前進しようとしています。ここに、一つの飛躍点に立った時点で、三年間の経過を総括し、そこから若干の問題点をひきだし、今後のや、長期的な方針の資としたいと思います。

　わが暴朝鮮研究所は、それに先だつ一年間の準備会の時期を経て、1961年17月11日に設立総会をもちました。

　62年を主とする弟1年度は、名実ともに体をなさない不安定なものでした。それは若干の有志の連合のようなものでした。それを研究「所」形態として維持しつづけていくことに多くの無理があるようにみえ、解散論や、研究「会」形式への後退論が、所の内部でさえあとを絶たぬありさまでした。いわんや巷間の興味は、いつつぶれるだろうかということにありました。現にそれまでの戦後16年の間にいくつかの日本人による研究　(朝鮮)
所が、企図あるいは発足してつぶれていたのです。いつつぶれるかわからないようなものを人々が支持するはずがありません。弟1年度は孤立無援、ただ自力と意志だけで維持されました。

　63年を主とする弟2年度に研究所は大きな発展をしめしました。　一つは、日韓会談に関する二種類のパンフレットの発行によって、大衆運動とかたく結びついたことであり、もう一　(は

Ⅲ　定期総会資料　17

つは、古屋理事長を団長とする第一次訪朝団を送りだし、日朝交流の最初の道を切りひらいたことであります。

このこととも、何千何万という大衆の支持によって実現されたものです。ここに形成された研究所の存在様式について、研究所本来の行きかたではないとする内部批判もありました。いわんや世間の興味は、わが研究所がふみ固めつつある路線がいつ変り、その方針がいつつぶれるだろうかにうつりました。

しかし、研究と実践との提携という方針、自力で大衆に直接依拠してすすむという路線をわれわれは守りぬき、大衆の支持は今日まで変ることなく続いています。

64年を全とする第3年度に、研究所はさらに一層の前進をしました。特徴的なことがらは、月報の活版化をかちとり、「連帯の研究と理論」を発行し、北京シンポジューム の際第二次訪朝団を送り、朝鮮と本格的な業務連絡をしたことであります。

今、所内では、後退論や方針変更などについてではなく、今後どのように研究所活動をより豊かにしていくかについての「前向き」のさまざまな意見がありますが、研究所は、不動のものとして三週年を迎えております。世間の興味も、わが研究所が、見かけよりは弱いのではないかという詮索に変っております。

この間、多くの不備欠陥はあれ、研究活動は休みなく行われました。この間、小規模ではあれ、朝鮮語講座その他の講座・講演など

(14) 事業活動が、担当所員の献身的な努力によって続けられました。諸

学講座は延30人の終了者をせに送っています。

この間、時として遅延もありましたが、「月報」は刊行を続け、ついに活版化に到達いたしました。これは、日本人の手によって刊行されているただ一つの月刊朝鮮誌となりました。

2　今や、日本にあって、主として現代朝鮮を研究しようとする者で、わが研究所となんらかの関係を持っていない者はないといって過言ではなくなりました。のみならず、わが研究所の所員が、朝鮮研究の大部分の分野で、中心となり、推進者となり、軸きをなしていると確言できる状態になりつつあります。

創立されて三年、今や、わが研究所は、朝鮮民主々義人民共和国の学界・文化界と、固い友情と深い信頼をもって結ばれております。日朝学術交流の重要な役割を現実に果しております。

創立されて三年、今や、わが研究所は、若干の経済的基礎をもうちかためつつあります。

要するに、一言でいうならば、創立三年にして、わが研究所は、磐石不抜のものとして現在ここにあります。

献身的な所員、誠実な研究者を結集し、自力で開拓していく方針をしっかり守り、数オの大衆的支持を持ち、確固不動の研究所とすることが遂にできました。

今、三週年にして問題になることは、この積みあがられた基礎の上で、われわれの欠陥を克服し、われわれの長所を伸展さ（15）

Ⅲ　定期総会資料　19

せていくことだけであります。

3　今後の方針を検討するにあたって、さまざまな問題点の前提とな
る一つのことがらがあります。

　それは、朝鮮研究ということそのものが、日本の現状のなかでは
依然として開拓的段階であり、開拓者的意欲なしには維持できない
ものであり、しかもなおしばらくの間そうであろうということです
朝鮮研究におおくの関心が存在し、朝鮮研究にたづさわる人々が数
多く存在し、それがなんらかの実利を伴う社会的条件が存在すると
いうような状態では全くないということです。

　たしかに、事態は刻々と改善されつつあります。一昔前に比すれ
ば、隔世の感ともいえます。だが、事態の本質は変っていません

　われわれが、もし、この改善を歓迎するあまり、「だんだんふえ
ていくものだよ、時がたてばよくなるよ」と、自然成長性に期待す
るなら、とんでもない失敗の憂き目に合いましょう。

　そうであればこそ、どうしても、つぎの両点に、われわれが特別
の努力を捧うべきではないでしょうか。

　（1）　強固な中心を形成すること。強力な推進力を形成すること。

　　　これは、研究所の設立趣旨を明確に把握し、研究者としての
　主体性をもった者でなければなりません。

　　　同時に、現在あるがままの研究所から、自分の研究に必要な
ものを吸収するというだけでなく、各自の自力の研究を研究所に

持ちより、他の研究者にたいしさまざまの形で研究所が奉仕できるような研究所を育て上げていくことに献身する作風を必要とします。

それらのことは、一見雑用のごとく見えても、決って雑用ではなく、そのことによって、研究が一層ときすまされ、次元のたかい学風がつくられるものでしょう。

常勤役員、常勤所員、専従局員というのが、とくにそうでなければならないでしょう。

こうした推進力を、所関係の全員が、意誌的につくりあげ、守り、協力してゆく体制をつくらねばなりません。

(2) 広汎な研究活動の展開

朝鮮研究が、学問的により深くより高められるためにはおおくの努力が必要です。

そのためには、学問それ自体のもっている内在的な諸要求を実現させる諸条件をつくっていくことが第一です。

同時に、朝鮮それ自体の研究のみですく、それ以外の分野との多面的な学問的接触を拡大していくことが必要です。そのことによって、朝鮮研究の視野を拡大してゆくことができます。

また、初歩的な関心をたえず吸引していくことが重要です。そのことによって、新しい問題点を不断に吸収してゆくことができます。

(7)

これらのことが、すこしでも体系化されて行われる所に、研究所としての活動の意味の一つがあるといえます。

(3)　自力更生の財政・事業活動

　学問研究がしんに自由活達なものであるためには、その研究を維持・発展させていく諸条件を、学者、研究者が、自ら、自力で確保し、構築してゆかねばなりません。

　自力更生のための財政・事業活動を、学問と無縁なものだとしているかぎり、必ず、他の無縁な法則に従属することになります。

　また、この場合、日本人の手によるということについて、一定の努力が必要です。

　この点について、わが研究所の三年間の一貫した方針は、完全に正しかったし、それに最大の誇りをもちつつ、今後も、その方針を終始堅持してゆかねばならぬでしょう。

(4)　運動との密着。日朝友好運動への協力と、そこから吸収し、そこで鍛えること。

　これは、学問・理論がつねに実践と結びついていかねばならぬという一般論からも重要なことであります。

　しかし、他の分野とは異り、別っして朝鮮研究にあっては、過去の近代日朝関係の情況からして、このことなしには、学問内容そのものが必ず歪曲されていく結果となります。

(5)　また運動と密着してはじめて、研究が、個々の分野での技術

問題としてではなく、思想となりて理念に高められゆくでしょう。そのことによってまた多くの影響を及ぼすこともなりうるでしょう。

4　このようなことを念頭におきながら、五年間の研究所の現状態を総括し、現状を検討したいと思います。
　　　　　〔文案は略す〕

5　最後が、若干の人事所理。
　　　　　〔文案は略す〕

(17)

［原本ママ］

一九六五年度の方針（案）

一、朝鮮研究の現状と朝鮮にたいする関心の高まり

　われわれは昨年の総会において、日本における朝鮮への関心の高まりの状況を検討し、日韓交渉という現実の政治的懸案との関係で、日朝両国民、両民族の正しい関係のあり方を歴史的反省のうえに立って正常な方向へ発展させようとする努力が弱点や不十分さをもちながらも日本人民の中に芽ばえつつあることを確認した。ついで、日本における朝鮮研究の性格をあとづけ、とくに、アカデミズム（東洋史学）の動向や講壇朝鮮史学の偏向をおびた伝統を批判的になかめた。方法論においても、現代研究と古典研究の分離の傾向がいちじるしいことを指摘し、「現代研究者が古典の知識にとぼしく、古典研究者が現代に無関心、という悪しき遺産が日本の東洋史研究一般に存在している」とみずからの反省をこめながらするどく問題の本質をついた。と同時に、さいきん、アメリカを先頭とする一部勢力が近代主義を標ぼうしながら、「客観」性、「科学」性をうりものにしながら現代朝鮮研究の分野にも進出しつつある現状に警告を発した。AF資金問題、いわゆるライシャワー文化攻勢の問題である。そういう動きのあるなかで、われわれは全員の一致で新しいアジア研究の重要性を再確認した。アジア・アフリカ問題が現代史のなかで占める比率がいかに大きいかはもはや多言を要しないであろう。帝国主義の新植民地主義支配ととくに思想的、文化の面ではげしくたたかっているアジア、アフリカの姿は、現代史を特徴づける主要な要因のひとつとなっているのではなかろうか。そのなかでも経済のみならず、文化、芸術等のすみずみまで民族伝統の流れを正しくくみとり、自力更生の精神で、たくましく社会主義建設にとりくむ北朝鮮の現状、アメリカ帝国主義と朴正煕の政権による反動的支配体制のもとでも外圧反対、屈辱外交反対を叫びながら南北の統一を求めて不屈なたたかいをつづける南朝鮮人民の無限のエネルギー等は、全世界人民の注目を集中的に浴びているといってもさしつかえないであろう。とくに、北朝鮮の「奇蹟」的な建設が日本人の間に広はんな関心をあつめつつある現状は注目に値する。インドネシアとともに、オリンピックにおいて北朝鮮の選手団が日本に一応来ながら、出場せずして帰国したことでもって示した「ガネフォ精神」＝アジア、アフリカ新興国の精神は、われわれにたいしてもきわめて大きな教訓を与えた。

二、研究所の任務と課題

このような中で、呂朝鮮研究所の存在意義はますます明確であり、任務はますます重大になりつつあるといわなければならない。設立の趣意書にもあるように、「朝鮮研究の水準向上に資することによって、日朝友好に寄与する」ことを目的としているのである。運動団体としての日朝協会とはおのずから任務は異なるが、その終局の目的は同じなのである。いかなる権力・財界筋からも左右される関係になく、純粋に民間研究機関としての伝統を形成してきた。「石の上にも三年」というが、創設以来、財政的苦難のため研究所の存否をかけた深刻な危機も幾度かあったが、とにかく三年間研究所を維持し、わずかではあっても発展、強化させることができた。今後も、理論研究を深めることを通じ、いっそう日朝友好に寄与する道を拡大したいと考える。

三、一九六五年度の基本的方針

一九六五年度は、内には、AA研、中研のような友誼的民間研究所のみならず、軌道にのりつつある朝鮮との学術交流事業のなかでわれわれが戦端をひろげた官公私の諸研究機関ならびに個人との連けいをいっそう強化し、出版事業の規模拡大をもふくむ普及活動の飛躍的発展を展望しつつ、各部会での個別テーマ研究、全所員研究会その他における着実な研究業績の蓄積と共同（集団）討議の成果を大きなものにしてゆかなければならない。同時に、わが研究所は北京科学シンポジウムの成果と影響力を定着させる仕事にも不断の関心と努力を拂いつづける必要があろう。なお、朝鮮史研究会等に結集しつつある有望な新道の朝鮮研究者を所のまわりに結集するのみならず、日本の科学者運動の組織化においても呂朝鮮研究所が先頭に立つ覚悟を固める必要があるであろう。研究所が主体となっておこなう研究オルグのさい留意すべき最大の点は、無原則的、盲目的に対象者の入所を勧誘したり、所の主催する諸行事に誘うことではなくて、あくまでも所自体の研究蓄積を大きくしたり、資料・文献の拡充、整備などの仕事の実績を通じて関係者の魅力をつなぐことを本命と考えることでなければならない。

外には、ひとり南北朝鮮の学界とのみならず、第一次訪朝代表団が共同声明に調印してきたことや、「日中朝三国連帯」の問題を提起した責任上、日本、朝鮮、中国の学術・文化交流において一貫して積極性を発揮すべきである。

内外からのわが呂朝鮮研究所への期待は大きい。それは、日韓会談反対の運動や、日朝自由往来実現の運動等が展開されるなかで、日本人としての朝鮮観を正しいものにしなければならぬという自覚や、朝鮮もしくは日本と朝

鮮にかんする歴史的事実や理論的諸問題等における解明を求める要望があることを何よりの基礎としているのである。このように視野が飛躍的に拡大される中で、日本の科学者の眼も専攻分野が直接朝鮮に関係があるなしにかかわらずひろく朝鮮に向けられるようになってきたのである。ここに、わが研究所が単にせまい朝鮮研究者の立場に閉鎖することなく、高い次元とひろい視野に立って社会的使命を自覚しなければならぬ根拠があるのである。いってみれば、現在の日本の思想状況と理論水準がようやくにしてわが研究所の所員に、朝鮮にかんする科学運動の中核的担い手としての役割と任務を課するにいたったといえるのである。所員のひとりひとりが各自専門的にとりくんでいる研究課題を深める仕事にいっそうの情熱と努力を注ぐとともに、日本の科学界における朝鮮にかんする思想運動、理論運動の組織者となる先を意識しなければならない。さしあたって、すでに自然科学（農学、医学、物理学等を主とする全分野にわたる）をふくむ日本の学界の、朝鮮との交流が切望されてきておりその先導的任務を果すことが期待されている。われわれは誠実にそれらの任務を遂行するようにしなければならない。研究者の層が薄いことはわが国における朝鮮研究の大きな弱点であるが、この薄さは学界をはじめとする全般の関心が高まるなかでこそ克服され、われわれの朝鮮研究の水準も高いレベルに到達しうるのである。限られた少人数の朝鮮研究家が、わが国の学界全体や人民の動向と遮断されたところで、いくら心を痛めても研究の水準はあがるものではない。

　丸三年を経過した今日、別に提起される若干の人事機構改革により、さらに研究意欲の刺激を促がしながら、朝鮮文化史のほん訳出版事業、第三次・第四次訪朝団（何れか一つが農業関係の代表団になる予定）の派遣運動と、日本の科学者の組織化等の仕事を一応の年次的事業の中心にすえながら、設立精神の貫徹に向って着実に蓄積し、たゆみない前進をつづけてゆこう。

研究活動ーその回顧と展望 (案)

（Ⅰ） シンポジウム・座談会

　各方面人士と相互に、各自の研究の成果をもちより、それを踏まえながら端的に問題と構想とを打出し交換して、研究の視野と角度の裾野を広め、深め、かつ共通にして行くことを目指して実施してきた。

　それらは、一貫した企画のものと時宜に応じた問題把握のものとの2種であった。

(1)「日本における朝鮮研究の蓄積をいかに継承するか」

　①明治期の歴史学（上原・旗田）　　　1962, 6

　②朝鮮人の日本観（金達寿）　　　　　1962, 8

　③日本文学にあらわれた朝鮮観（中野）1962, 11

　④京城大学における経済史研究（四方）1962, 12

　⑤総督府の調査事業（善生）　　　　　1963, 1

　⑥朝鮮史編集会の事業（末松）　　　　1963, 3

　⑦朝鮮語研究について（河野）　　　　1963, 10

　⑧アジア社会経済史研究について（森谷）1963, 11

　⑨明治以後の朝鮮教育研究（渡部、小沢）1964, 5

　⑩総括討論（旗田他所員）　　　　　　1964, 6

の10回にわたって実施した。音楽・美術関係および中国・ソ連、米国における朝鮮研究の比較討究が予定されたが実施されなかった。けれども、これによって従来の日本における朝鮮研究が獲得しえた実質的知識の層、量とそれを規制した対朝鮮姿勢もしくは態度の構造が解明された。今後はこのような姿勢認識の上に立って、新しい合理的姿勢の確立と、それに立ちならびにそれに資するような実質的な朝鮮認識の知的積み上げが努力されねばならぬ。

(2) その他の座談会等

　その時々の問題状況に即して

　①日韓経済協力の問題点　　　　　　　1962, 3

　②民族教育問題をめぐって　　　　　　1962, 4

　③丁茶山の思想の理解のために　　　　1962, 10

　④在日朝鮮人殉難の歴史　　　　　　　1963, 5

　⑤北朝鮮学術界の現状　　　　　　　　1963, 9

　⑥関東大震災における朝鮮人虐殺の責任（対談）1963, 10

⑰金日成テーゼと朝鮮の農村問題　　　1964、8
⑱南朝鮮学生運動をめぐって　　　　　1964、11

を実施した。他に計画されながら実施されるまでに至らなかったものもいくつかある。座談会記録の原稿化が実務体制上困難であるという難点を克服することが努力せられ、2ヶ月毎に1回位の頻度で行なわれることが望ましい。内容的には、運動の実践面に即したもの、ならびにアカデミックな純学術的研究に即したもの、の両極化的伸張も考究すべきである。

　この両者を通じて、日本における朝鮮研究関係者を広く包括的に組み入れて行くことを、今後の方向としたい。その下で、新しい企画ものの構想と再事的なものの頻度化と両極化こそ今年の課題である。

　評価の具体的内容に関しては、「朝鮮研究」第34号（3周年記念号）を参照すること。

（Ⅱ）　研究部会活動
（1）　従来の研究部会活動は以下の5つに分れて行なわれてきたが、
　㋑「朝鮮研究」誌上への成果の定着が不十分であること。
　㋺研究者が余りに重複しており、同時に新しい研究者の獲得・養成が進捗しなかったこと。
　㋩性急な成果追求が、問題確立と責欲結集に寄与した側面は認められるが反面では各研究者個人の内面的な創造、深化のゆとりを規制しはしなかったか。
　㋥研究上の個人差を調整する配慮が不十分ではなかったか。
　などの諸点が反省されなければならない。
　けれども、
　①語学・文学研究部会
においては、日朝学術交流促進の会との提携のもとに語学講習会をもち、かつ、従来の講習会修了者を結集する具体的努力がすすめられ、他方では所員の手による代表的朝鮮文学作品のほんやくがすすめられている。歌謡集はすでに成稿をみている。
　②現代朝鮮研究部会
では、農業問題と現状分析の2班に分れ前者ではいくつかの業績も発表をみ、近い将来1つのまとまった研究として世に問うことを目指している。後者はその性質上まとまり難い点があるが、「責任」の問題の追求など、ロングランな視座のもとで活溌な研究を組織して行こうとしている。
　③教育問題研究部会

5

Ⅲ　定期総会資料　29

では、北朝鮮、南朝鮮両教育学界の最近の研究成果の吸収を共同、連続して行なう一方、在日朝鮮人研究者をまじえた民族教育研究をすすめており、中央教育会と提携して、科学的実践的な究明を近くまとめるべく努力している。

④朝鮮人問題研究部会

読書新聞紙上に『朝鮮人』を共同執筆連載した。今後これを母体として新しい問題との取り組みを進めなければならない。

⑤全所員研究会

１９６４年発足の新しい試みであるが所員の熱意の結集を十分に果し得なかった。具体的な運用に困難が多々あるが、例えば、学界におけるシンポジウム形式などを参考にして、公開ゼミなどとの結合も研究してみては如何かと考えられる。

(2) 今後新たに発足する研究部会、活動

としては、

①連帯問題研究会

すでに発足をみているが、「連帯の理論と歴史」によって提起された視点を実証的に究明しながら連帯の意味を深めて行く

②美術研究部会

新しくメンバーを獲得し、従来の欠を充填して行く。工芸・考古学・音楽の分野にまで将来は拡大して行く。

③（近代史研究部会）

「部会」といっても定期的に研究会を開くという種のものと異るが、一著にまとめ上げることを目標として各自研究を蓄積し、「朝鮮研究」その他誌上に遂次発表して行く予定。

(Ⅲ) 学術交流委員会

今回新たに学術交流委員会を設けることを提案する。その理由は、

①北京シンポジウムを契機としてAA諸国との交流が開始せられたし、それに関係しての日本国内での科学運動を展開する要がある。

②北朝鮮との間の交流は一層頻繁かつ内容充実したものになりつつある。

③とくに数学・自然科学分野はこれまで適当な所員不在のため必要を感じつつ実りある交流を果し得なかったが、その実現性が具体性をもってきた。

④その他日本国内における朝鮮研究関係の学術団体の活動も顕著になってきた。

従って内外の広汎な各分野の相互交流を組織的に推進して行くため、この委員会の設置が望まれる。

(Ⅳ) 諸調査研究

南北朝鮮との経済交流がひらかれるに伴って各種の調査研究（ほんやくを含む）の依嘱をうける機会も多くなったが、直接具体的な依托研究のほか、日本社会の要求する知識情報提供のための調査研究に取組んで行く。

(Ⅴ) 研究成果の出版的定着

別途報告の出版事業計画ともにらみ合わせ各部会の研究活動もなるべく確立して一貫的計画のもとに遂行し、業績としての一つのまとまったものに仕上げて行き、これを各種活字化することを目指すこととしたい。

(Ⅵ) 他学会・団体との関係の緊密化

ひろく朝鮮研究者を結集するという意味から、所内セクショナリズムを克服して、各所員が有力メンバーとなる各種研究サークルの結成につとめ、非所員研究者、学生、活動家と研究交換、共同研究をすすめて行くこと。その場合、研究部会としてではなくとも関係所員から幹事会に経過を報告し、可能なるものは成果を「朝鮮研究」誌上に取上げること。

とくに、朝鮮史研究会　中研、ＡＡ研、日朝協会、学術交流促進の会との提携に留意すること。

(Ⅶ) 所内研究体制の整備・確立

・常勤所員制を考究すること。

・研究所の事務室、研究室、図書室、会議室分化に努力すること。

(Ⅷ) 講師団の常時編制

(Ⅸ) 公開ゼミナールの定期、連続的開設

(Ⅹ) 学生・青年の間に朝鮮研究会の組織と朝研連結点を目的とする。

機関誌「朝鮮研究」の編集発行について(案)

(Ⅰ) 基本方針

①当研究所の活動の中核として、今後もあらゆる困難を克服して定期月刊を続行する。

②所員・各研究部会の研究成果を発表するほか、実践場面における問題状況を絶えす反映させて研究の発展をはかり、あわせて啓蒙的解説を掲載して行く。

③編集実務の民主的体制を一層考究する。

④研究誌としての性格を堅持すること。

（Ⅱ）　今後の重点方向としては

(1) 政治関係の記事の重視（研究論文のほか時事動向、資料なども）。

(2) 運動場面での問題をひろく取り上げる。

(3) 啓蒙的講座の拡張

(4) 直接的関心に必ずしも対応しない基本的な知的開拓に資する論文、例えば、古代、高麗期などに関する研究も掲載する。

(5) 年表、資料などの豊富化

（Ⅲ）　販路拡大、安定化への共同努力

　1,000部発行を確立するため、今後250部の新規定期購読者（新加入所員を含む）を開拓しなければならない。所員各自3部づつの開拓が要請される。

　機関購読者（学校・図書館・団体など）および賛助会員の獲得は一層望ましい。

（Ⅳ）学生定価の設定

　販路拡大に資するとともに、後継者獲得の見地からも学生に頒つ場合の定価を3割強引き下げて200円とすることを考えてみたい。

（Ⅴ）編集体制の確立

①編集委員会制が安定したうえからは、編集実務責任の輪番制の実現をはかること。

②年間計画の組織的　樹立とそれに伴う原稿依頼の長期的計画化をはかること。

③「うめ草」資料の活用につとめること。

日本朝鮮研究所第5回定期総会資料

とき　1966年2月13日

ところ　学士会館（一ツ橋）

年　次　報　告

１９６５年１月〜１９６５年１２月まで１年間の活動報告

まえがき

1. 総　務　報　告
2. 研究活動報告
3. 機関誌活動報告
4. 事業活動報告
5. 財政活動報告
6. 資料（所員名簿）

活動方針（案）

まえがき

1. 総　務　活　動
2. 研　究　活　動
3. 機関紙活動
4. 事　業　活　動
5. 朝鮮文化史刊行についての活動
6. 予　算　案
7. 資　料（規約）

Ⅲ　定期総会資料　35

活 動 報 告

ま え が き

1965年度は，日本の歴史にとつても，私たち日本朝鮮研究所にとつても，誠に重大な年であつたといえる。

日韓条約の賛否をめぐり国論は大きく揺れ動き，朝鮮問題に対する国民の関心はかってなく高まつた。わが研究所もこれに対し，研究所創立趣旨にのっとって心ある国民とともに，総力を上げて日朝関係のあるべき姿を訴えてきた。

一方，この激しい動向と平行しつゝ昨年度から引ついだ「朝鮮文化史」刊行事業も，関係所員の文字通り献身的な努力によつて，カタログも完成，近く出版の運びとなつた。六月には，かねての念願であつた新事務所に移転，事業・事務局の強化等々を行い，研究所としての体制を飛躍的に前進させることができたといえる。

日韓条約に対する活動「朝鮮文化史」刊行，新事務所の移転と，どれ一つみてもそれぞれが大事業であつた。それにもかかわらず，今年度はこの三つの大事業を同時に遂行 してきた研究所の力量は高く評価されるでしょう。特筆すべきことは，これらの諸活動を遂行し得た要因は，何といつても所員の団結と，献身的な協力にあつたといえる。つまり，この一年間，所員の結集，協力体制も諸活動に優とも劣らぬ大きな前進の年であつた。

以上のように，本年度は全体として，拡大と充実の1年間であつたといえるでしょう。

しかし，総べてが順調に進んだわけではない。個々の分野，個々の事業について検討すれば，早急に克服しなければならない不充分さを内包していることを見逃すわけには行かない。

ここに皆さんと，飛躍と充実を喜び合い，1年間の成果と不充分さを明らかにし，新年度の発展に資したいと思う。

1.総 括 報 告

(1) 事務所建設について

所員集会の決定によって，建設資金の募集，研究所の整備などを目標に『事務所建設委員会』を結成，活動を推進してきた。

資金募集は，当初の目標350万円に対し，432.833円となつている。いまだ，目標額

－2－

36 第5回

には遠く及ばないが，新事務所に移転によつて，いままで苦労してきた所内の研究会，会合の会場問題等は解決した。一方，公開講座，関係諸団体の会議室の使用等々によつて，研究所の存在を広く内外に知つてもらうことができた。

しかし，蔵書，資料の整備は極めて不充分である。所内外の研究者の利用に耐えうるよう，早急な整理がのぞまれる。

(2) 所員の動向について

今年1年間に新らたに所員になつた人は1名，所員をやめた人は9名，現在の所員数92名である。このほか顧問6名，個人賛助会員16名となつている。所員をやめた人のほとんどが＜研究所の趣旨に賛成であるが，仕事の関係で，所員の任務を果せないので，朝鮮研究の購読者にして欲しい。必要に応じ協力を惜しまない＞という理由によるものである。新らしい所員の参加が少なかつたことは，情勢からみて，研究所の取組みの不充分さに原因が求められる。早急に改めなければならない点であろう。

しかし，従来からの所員は常勤所員をはじめとし，今年度の諸活動を通じ，研究所への結集は大きく促進されたといえる。

(3) 事務局体制について

1月から5月までの事務局は，事務局員不在のため事務局長を中心に，常勤所員が事務局を支えてきた。特に常勤所員会議は月平均2回もたれ，実務を含む執行の具体化に貢献してきたことは高く評価される。

7月からは，「文化史」事務局を含め4名の事務局となり，体制は急速に強化されつつある。

2.研　究　活　動

(1) 第4回総会と研究会議

第4回総会は，研究所の本命としての研究活動を重視するという建前から，新たに研究会議を設置することを決定した。しかも，ただ単に研究会議を新設したというだけでなく，同会議ならびに議長を常務理事会および理事長から独立したものとして位置づけるという思いきつた機構上の改革を行つたのである。

(2) 研究会議の実績

研究会議を中心とする1965年度の研究所の研究活動は，『朝鮮研究』45号の33ページ以下の総括的な記事にもみられるように，必ずしも活溌ではなかつた。所内における組織的な

—3—

研究活動としてみるべきものは、現代朝鮮（農業）研究会と文学部会の活動のみであつた。しかし、これらは研究会議設置以前からおこなわれていたのであつて、研究会議の指導性は皆無に近かつた。研究会議の企画と指導のもとに実施されたのは、火曜講座と畑田ゼミ程度であつた。

日韓条約批准阻止の国民運動のなかで，かなりひろく読まれた本として『日本と朝鮮』（勁草書房）があるが，これはすべてわが所員による執筆であつた。形式上は共同研究・共同討議にもとづく共同執筆にみえるかも知れないが，実質は個々ばらばらの執筆にすぎなかつた。このように個別のテーマでそれぞれ研究を深めている所員を数多くもちながら，その力量を所として組織的に発揮できなかつたという点をこそ，深く反省すべきであろう。

(3) 研究活動が不活溌であつた原因

以上のように，研究所の研究活動が不活溌であつた原因の最大のものは，所員から研究会議の指導性への期待があつたにもかかわらず，研究会議がその機能を完全に果しえなかつたところにあると考えられる。

では，研究会議はなぜその機能を果しえなかつたのであろうか。まず第一には，民間研究機関におけるこの種の組織の運営におたがいが習熟していないという，ある意味ではやむをえない事情があつた。第二には，第一の理由とも関係があるが，今日に至るまでついに研究会議の研究委員未確認のまま経過してしまつたということである。第三には，日韓条約をめぐる国民運動などがおこると，研究会議の指導的メンバーをふくむ所員の大多数が研究上の諸問題に系統的に関心や批判をよせる余裕をもたなかつたということ，等にあつた。

3.機関紙『朝鮮研究』活動

昨年の編集方針は次のような5つをあげることが出来る。

1. つ　み　あ　げ
2. か　き　の　こ　し
3. と　き　あ　か　し
4. ほ　り　お　こ　し
5. み　と　お　し

1と3は専門学術的なこまかな研究のつみあげになるようなものをのせていくことと現時点における重要な，特に実践上の問題にかかわりあいをもつような解説，提言をのせるという課題であつた。この二つの重点のバランスをとりながら編集した。

2の「かきのこし」は朝鮮に関する研究・運動等を記録していく作業であつた。これは機関紙の重要な使命の一つであろう。

昨年の機関紙活動をふりかえり弱かつたのは4の「ほりおこし」と5の「みとおし」とである。「ほりおこし」は各地方における良心的な朝鮮研究の成果を誌上に定着させて行くことである。「みとおし」とは具体的には日韓条約批准後の状況とともに今後の「みとおし」をたてる必要があることにも示されるもので，これは「研究」するということとそれを「つみあげる」ということを通じて可能となるものである。さらにろの「ときあかし」も今後の課題として時期的な解説の他に美術・音楽・民俗などについて読みもの風のものが必要であろう。

今後はながい斗い，それを日本人の心の中に広く深く定着しているものとの斗い，それは肩ヒジ張つてばかりいたのではもたない。ここらへんでの配慮が必要ではないか。

4．事業活動の総括

第4回総会の方針にもとずいて研究・発表・普及の諸活動を展開した。方針で示された各々の具体的な課題を全面的にやりとげるには至らなかつたが，『日韓条約』という日本の進路と深くかかわる問題に正面からとりくみ，とくに1965年後半は，それに全力を傾注し，多くの成果をあげた。

所設立の趣旨で述べられた研究事業活動を通し日朝友好に寄与するという理念が，事業活動において，実践され，その結果独自の地歩を築き上げ，研究ならびに運動に対して影響を与え，こんごの事業活動の展望を大きく開いたといえる。とくに次の2点が明らかにされたと考える。俗説でいう「朝鮮では食えぬ」（採算がとれない）という現状認識を打破克服すべき方向とその物質的条件を創り出しつつあることがひとつ。他のひとつは，われわれが誰に，どの層に依拠して事業活動をくまねばならないかを常に考えて，問題設定し実行計画を提起しなければならないことである。いままでは「何のため」という設問には十分答えてきた。その次に「食えるか」の問題を実践してきたのが，第4回総会以降の事業活動の内容であり，同時に「誰のため」という設問を自覚的に提出してきたことが特徴といえる。

以下，かんたんに分野別に報告する。

Ⅰ　出版活動について　　（「朝鮮研究」№.45　P36～37）

Ⅱ　啓蒙普及活動について（「朝鮮研究」№.45　P37～38，P34教育活動）

Ⅲ　学術交流について

—5—

Ⅲ　定期総会資料　39

I ⑦ 本年は，われわれの提起した学術代表団派遣を実現しえなかつた。しかし，日朝学術・文化交流の具体的ないとぐちともいうべき一大事業が開始された。朝鮮社会科学院との共同の仕事ともいうべき「朝鮮文化史」の翻訳出版のための活動である。内容と意義については，「朝鮮研究」45号の森下・渡部論文ならびに内容見本を参照されたい。これは学術・文化交流の具体的第一歩であるとともに，所としては，朝鮮の科学水準を正確に日本に伝えるという研究所らしい仕事の一つであり，進行過程で多くの研究者・学者の協力を得つつあるという成果をあげている。いろいろな意味で，研究所らしい研究所という各所員のもつているイメージを具象化させ統一させる要因をつくりあげているともいえる。また，この一大事業の企画進行のなかで，研究所の財政活動の次元を一段と高めたといえるのである。こうしたなかから理事長を社長とする 外廓事業団体亜東社（法人登記 1965年10月末）を設立するという発展を示した。

もう一つ特記すべきは，刊行のために刊行委員会を作る事に決め，直ちに着手現在27名の刊行委員の参加を得た。今迄なかなか関係をもち得なかつた人々であつた。これらの人々が，これを機会により朝鮮問題のため，活躍してくれる事を望むと共に，そのように動いてくれる軌道を我々が敷く必要がある。朝鮮研究と日朝友好の今後における財産としなければならないだろう。

刊行のための準備活動が最終段階に入り，平行して予約募集という新しい段階の活動もはじめたところである。刊行の事業成否は，今后の研究所の発展，存続と深いかかわりをもつといつても過言ではない。したがつて，そういう認識に立つて，所員一同刊行実現まで努力する必要がある。

㋺ 次に，文献資料の交流について述べる。朝鮮側からは，社会科学院，科学院，対文協，中央通信社等から，単行本，定期刊行物，写真等の寄贈をひきつづき受け，他の日本人の研究機関に類をみない充実をもたらした。こちらからは，「朝鮮研究」を40部各機関個人宛送つているほか，可能な限り出版物を送つている。この資料交流はいつそう拡大され，財政活動を可能とする方向をたどつている。とくに昨年末朝鮮国立中央図書館（図書館長 許貞淑）より約80種にわたる定期刊行物の交換提案がきたことは，この活動にとつて画期をなすものであろう。

㋩ 前記文化史刊行準備のため1965年7月3名からなる実務代表団を派遣した。所期の目的を十分に果すと共に，こんごの交流事業の具体的な道すじを示しあい，協議しあつた点が成果といえよう。

－6－

40 第5回

近くて遠い関係は，日本が敵視政策をやめることにあるのはもちろんだが，その間でも，相互理解を深め共同の仕事を進めるためには，実務を中心とする代表団の派遣は必須であろうかと考える。「なにかのついでにことを運ぶ」という段階はすぎさつたのである。また，研究所が実際に学術交流の窓口的役割をいまこそ果さねばならぬことは云うまでもない。

Ⅱ　その他（国内交流，在日朝鮮人との交流，事務所新設等についての総務報告）

　㋑　図書の委託販売活動は，新事務所に移転してより積極的にとりくんでいる。火曜講座をはじめ各種の催し物において消化している。現在では，みすず書房，未来社，宗高書房，勁草書房，朝鮮青年社，等の他朝鮮史研究会等のものもとり扱つている。マージンは２０％であるが今后，所が，名実共にセンター的存在に近づくと共に，出版活動と書籍配布活動により拡大されねばならないであろう。

　㋺　複刻版の発行は〝旧条約資料〟を国会での論戦に役立たせるべく急いで作成したが，その他計画したものを除いて出すことができなかつた。しかし研究者の要望にこたえる研究所らしい事業活動の一つとして，企画実現すべきであろうし，その段階にきていると考える。

—7—

Ⅲ　定期総会資料　41

所　員　名　簿

役　職	氏　　名	役　職	氏　　名
顧　問	青　山　公　亮		岸　　　陽　子
〃	近　藤　康　男	理　事	木　元　賢　輔
〃	古　林　喜　楽		楠　原　利　治
〃	末　松　保　和		桑カ谷　森　男
〃	畑　中　政　春		小　林　　　勇
〃	松　浦　　　一		小　林　庄　一
理　事	相　川　理一郎		小　松　久　麿
常務理事	秋　元　秀　雄		佐　藤　勝　巳
	新　井　宝　雄		桜　井　　　浩
常務理事	安　藤　彦太郎	理　事	指　川　謙　三
	飯　田　重　夫	副理事長	四　方　　　博
副理事長	石　野　久　男	理　事	塩　田　庄兵衛
	植　村　　　進	理　事	白　井　博　久
	幼　方　直　吉	理　事	新　川　伝　助
理　事	大　槻　　　健		新　名　丈　夫
	大　村　益　夫	副理事長	鈴　木　一　雄
	奥　　　保　男		鈴　木　朝　英
	大　溝　正　昭		鈴　木　二　郎
理　事	岡　　　謙四郎		副　島　種　典
	岡　本　三　郎		田　辺　　　誠
	岡　本　明　男		竹　本　賢　三
	奥　村　皓　一		武　田　幸　男
	小　沢　有　作	理　事	玉　井　　　茂
	梶　井　　　陟		田　村　専之助
	梶　村　秀　樹		塚　本　　　煕
	加　藤　卓　造		鶴　崎　友　亀
常務理事	川　越　敬　三	常務理事	寺　尾　五　郎

－9－

役職	氏名	役職	氏名
	唐笠　文夫	理事	武藤　守一
理事	東上　高志		村上　貞雄
常務理事	中神　秀子		村岡　博人
理事	中野　良介		村松　武司
	中野　礼造	理事	森　一則
	中村　栄孝	常務理事	森下　文一郎
	仁尾　一郎		山本　進介
	新島　淳良	理事	安江　良介
理事	西沢　富夫		結城　康典
	貫井　正之		吉岡　吉典
	野口　鑾	常務理事	渡部　学
	旗田　巍	理事	和田　洋一郎
常務理事	畑田　重夫	理事	蠟山　芳郎
	早川　治		守屋　典郎
	原　一彦	賛所会	飛鳥田　一雄
	樋口　雄一	〃	安宅　福美
	福永　孝雄	〃	井上　正也
	藤島　宇内	〃	岡田　春男
理事長	古屋　貞雄	〃	大屋　宏三郎
	古川　原	〃	黒田　寿男
理事	星野　安三郎	〃	桜井　清
	堀江　壮一	〃	佐藤　寿子
	牧瀬　恒二	〃	田畑　弘
監査	牧野内　武人	賛助会	田尻　愛義
監査	宮腰　喜助	〃	高津　正道
	宮田　節子	〃	林　勇精光
	宮原　正宏	〃	細迫　兼光
	宮森　繁	〃	八重樫　昊吾
	宮崎　吉政	〃	山田　典清
	三品　彰英	〃	吉田　嘉清

活　動　方　針　(案)

まえがき

　去年一カ年の情勢は、とりわけ日本・朝鮮両国の関係において、われわれの予想を越える重大な変化をもたらした。それはなによりも、日韓交渉の妥結、日韓条約の調印批准という一連の事態に集中的に示されている。

　日韓条約に対し、わが研究所は、昨年年初以来、総力をあげて、その成立阻止のために努力した。歴史的な日韓条約批准阻止運動において、研究所が果した理論的、思想的寄与と、国民大衆に対する啓蒙宣伝の役割は決して小さいものではなく、またこの過程で所内の団結と他団体との連帯が強まり、財政的にも一定の成果をあげることができた。

　しかし、心ある国民すべての反対にもかかわらず、この条約が批准され、現に実施に移されつゝある冷厳な事実は直視されなければならない。同条約の実施によって、日本はアメリカのアジアにおける戦争政策にいっそう緊縛されたばかりでなく、ふたたび朝鮮民族の前に侵略者として立ち現われることになった。日韓関係が戦後２０年かつてない転機をむかえたことを意味する。もちろん、われわれはこの条約を有効と認めず、引き続きその無効を主張するものであるが、同時に現実の事態にきびしく対処しないわけにはいかない。

　研究所は、その設立趣意書において、「過去の誤れる統治政策に由来する偏見を清算し、日本人の立場から‥‥‥朝鮮研究の水準向上に資することによって、日朝友好に寄与する」ことを宣言した。日韓条約批准後の複雑多難な情勢の中で、われわれはこの研究所設立の精神をますます堅持し、より旺盛な研究活動を展開していかなければならない。

　日韓条約締結を契機として、学術、文化、思想の分野においても、この条約を支えるための逆風が強まってきた。それはアメリカのベトナム戦争拡大に対する佐藤内閣の協力、核安保体制確立への動きに対応するものであり、また、日本支配層の南朝鮮への侵入、次官通達、在日朝鮮人「同化」政策の実施と軌を一にするものである。

　しかも、反動的な潮流の現われ方は、一様でない。一方には、「大東亜戦争肯定論」「日韓併合」是認に代表されるような露骨な朝鮮侵害美化の言論が公然と横行し、他方には、「日韓親善」「対韓贖罪」「隣人愛」「南北問題」等々、羊の皮をかぶった狼の口説がおこなわれている。

　さらに、主観的には善意でありながら、事実上日韓条約とのたたかいを放棄して北朝鮮との

—11—

Ⅲ　定期総会資料　45

「復交」を説く議論や、南朝鮮労働者と日本の労働者を敵対に導くような意見も台頭してきている。

　こうした情況は、日韓条約の実施がすゝむにつれて、今後いっそう強まるだろう。佐藤内閣は、去年の日韓国会で再三の暴挙が世論の非難を浴びたことから、今年は与野党の激突を極力避けると称し、小選挙区制採用の見送り、米原子力空母の横須賀寄港延期などをほのめかしている。朝鮮問題に関しては、在日朝鮮人の一時帰国の部分的な実施を許し、平壌あて旅券の発給を約束し、また北朝鮮からの日本入国禁止の緩和説をも流しはじめている。佐藤内閣のこれらの措置が、国民の下からの圧力の反映であることはいうまでもないが、かれらの意図が、その圧力の弱化をねらい、進歩勢力に思想的分裂のくさびを打ちこむことにあることは明白である。

　一連の政治反動に呼応して、御用朝鮮学が復活してくるばかりでなく、本質的にはそれと変らぬ反動理論が、より柔軟な、より近代的皮をまとって登場して来ようとしている。

　とくに重視すべきことは、これらの反動的潮流が、国民の間にいまなお根深く残り、再生産さえされつゝある意識のゆがみ―― 朝鮮に対する蔑視、偏見、無関心―― に依拠し、これを最大限に利用している点であろう。もしこれに対する有効な反対が展開されなければ、折角多年にわたって広範な国民につちかわれてきた日朝友好の機運も後退を余儀なくされることを知らなければならない。

　創立から4年、とくに去年1年の活動の成果として、われわれは国の内外において一定の声価を定着させることができ、また、朝鮮問題に関心をもち、これを真剣に研究しょうと志す新しい層を一定数周囲に結集することができた。これは、われわれの大きな喜びである。

　日韓条約実施によって、日本国民はかって経験したことのない、まったく新たな情勢に直面している。他方、日本人の主体的立場から科学的な朝鮮研究をおこなう機関は他に絶無である。まさに、その故に、今年のわが研究所に寄せられている内外からの期待はきわめて大きい。

　第5回総会にあたって、そのことをあらためて銘記し、困難をのりこえて奮斗しよう。

I 総務活動

1. 事務所建設資金の募集

　募金の現状は、敷金の半額にもみたない状態であり、当初計画した、設備、経費などの大巾な変更を余儀なくされている。従って財政的な負担も大きく、引続き今年も募集を促進する必要に迫られている。しかし、いつまでも続けることは好ましいことでなく、3月末を目途に全

－12－

力をあげて目標に近づくよう努力したい。

2. 所員の拡大、充実化

　日韓条約妥結前後の国内外情勢、とりわけ日本国内の状況は、日本朝鮮研究所の拡大強化を要請している。言葉を変えて云えば、日本民族が再び誤ちをくり返さぬために、研究所設立趣旨にのっとって、今こそ総力をあげ奮斗しなければならないということであろう。

　そのためには、研究者の数をふやし、同時にあらゆる分野にわたって答えうる体制を確立しなければならない。日韓条約をめぐり、日本国民の朝鮮問題に対する関心はかつてなく高まっており、拡大強化の条件は、まさに熟しているといえる。しかし、そうは云っても昨年度がよい例で、自然発生的に所員がふえるものではない。条件があっても、私たちが、目的意識的に働きかけないと、所員はふえないことを教えている。新年度は積極的に働きかけ、最低５０名の研究者を所員に迎えたいと思う。

　そのためには、従来にもまして、所員の団結、結集が必要となってくることは言うまでもないことである。新年度は、常務理事会を中心に、特にそのことに最大の配慮を払う必要がある。

3. 事務局体制

　予算書案に現われているように、その規模は飛躍的に大きくなってきている。新しく事務局に樋口雄一所員を迎えて事務局の強化を図る。加えて、事務処理の近代化、資料の整備、機関誌編集、実務の向上などの確立を図る。

4. 規約改正（機構改革）

　前年度までは、「研究会議」と「編集委員会」は個別な組織となっていたが、この二つを一つにし、あらたに、「研究委員会」（仮称）をもうける。新しくもうける「研究委員会」（仮称）の内容は、従来の「研究会議」と「編集委員会」の内容を同じに処理する。「研究委員会」は約２０名ほどの委員で構成し、若干名の幹事をおく。

　機構改革の必要は、(1)所内に＜機関＞が多すぎる。(2)従ってメンバーがほとんど重複している。(3)従来のような機構では、情勢、研究、機関誌が充分に内的関連を持ちにくい面がある、などによる。

　常勤所員制度も上記(1)の理由で廃止する。

　従って規約は次のように改正する。

(イ) 第　９　条　・・・・・研究会議々長１名・・・・・　の文字削除

(ロ) 第１０条　　３項、全文削除

(ハ) 第１３条　　・・・・・研究会議々長・・・・・を削除

(二) 第15条　全文削除

(ホ) 第14条以降は、旧16条を15条に、17条を16条に、18条を17条に、19条を
18条に、20条を19条に数字のみを改正する。

研究活動

(1)　研究活動の環境・条件の新しい特徴と研究会議の任務

　　日韓条約の強行締結をもって、国民運動はたしかに退潮期を迎えた。しかし、1965年を
ピークとする日韓条約論議のなかで、日本国民の朝鮮にたいする関心はめざましい高まりをみ
た。国民の関心一般というにとどまらず、広範な分野にわたる専門家の科学・文化・技術の日
朝間交流への要求もまたこれまでになく強くなった。

　　もちろん、朝鮮への関心といっても、朝鮮への同情論からの関心もあれば、朝鮮といえば韓
国のことであると思っている人、または「韓国」というものを全体として無視しようとする言
動、つまり、南朝鮮で民主主義と祖国の独立ならびに民族の自主的・平和的統一のためにたた
かっている科学者、言論人、学生その他の人びととの連帯などは、毛頭重要視しない傾向など、
さまざまのものが含まれているわけである。したがって、研究所設立の趣旨に忠実であろうと
するかぎり、研究活動をとおして日本人の朝鮮観を正し、かつ思想的に高めるべき任務は従来
にもまして全所員に大きく課せられているとみなければならない。とりわけ、研究所の研究面
のいっさいの責任を負う研究会議の任務はこのうえなく重くなったといわなければならない。

　　予想される傾向としては、官製もしくはそれに近い性格をおびた「日韓」学術交流と、それ
にもとづく「韓国」の科学・文化などの一方的紹介・流入がさかんになるということである。
そういうなかで、わが研究所として深く配慮すべきことは、南朝鮮との学術交流をどう考え、
また、南朝鮮でたたかっている人びととの連帯をどう考えるか、という問題であろう。大切な
ことは、この問題に研究所として早急に公式的な見解と結論を下すことではなくて、日朝学術・
文化交流において正しい態度と立場を貫くということは、たとえ善意ではあっても、とかく誤
ちにおちいりやすい困難な問題であるから、たえず所内外の研究者の良心に問いかけ、反省の
機会を促し、討議の場を保障する用意がなければならないということであろう。このことは、
労働者をはじめとする広範な日本人民の正しい民族観点の確立という問題と研究所の責任につ
いても同じようにいえることである。

(2)　研究会議の機構改革について

　　そこで、現状の研究会議でもって、うえにのべたような重い任務にこたえうるであろうか。

— 14 —

昨年度の経験はそれがおぼつかないことを訓えている。そこで、これは規則改正問題（別項提案による）にも関係することであるが、つぎのような機構改革がのぞましいと考える。

　ａ．編集委員会と研究会議とを一本に統合し、研究委員会（仮称）とする。（研究委員会の運営上の細目は別に定める）

　ｂ．そのうえで、月１回の研究委員会の会議を定例化する。

以上の機構改革の理由は、

　㋑　実質的に活動する所員が少ないのに現在では機構ばかりが繁雑にすぎるのではないか。

　㋺　従来から、研究所の研究活動と「朝鮮研究」との有機的関連の重要性ということが叫ばれていた。

(3)　研究委員会のつとめるべき方向としては、所内の研究活動のみに眼を向けるのではなくて、ひろく日本でおこなわれている朝鮮研究全般にたえず関心を払い、その状況把握につとめること、南北朝鮮と在日朝鮮人科学者の研究動向の把握、ならびに日朝（日本と南北朝鮮間）学術・文化・技術交流などにつき系統的な関心を払い、かつそれに関連した調査・研究を深めることが重要である。「朝鮮文化史」の刊行はさしあたって日朝学術文化・技術交流の具体化の第一歩であるといえよう。この刊行事業が成功をおさめるために全所員、とりわけ新研究委員会は全力を注がなければならない。

以上のような視野の広い、活たつな態度をつらぬき、その立場から所内の研究活動にたいする指導方向を見出すべきであって、けっして委員会が個々の所員の具体的問題にまでたちいって介入することが必要なのではない。このようにして、すべての研究活動の綜合的成果が、常に「朝鮮研究」に集中的に反映されることが望ましい。なぜならば、「朝鮮研究」こそ、わが朝鮮研究所を形式的にも実質的にも代表すべき「柱」だからである。

　いうまでもなく、「朝研シリーズ」その他の形で研究の成果をまとめて内外に発表することも重要であるし、わが国の朝鮮研究者の層がきわめてうすいという事情を考慮して、ゼミナールなどを積極的に実施して、若手研究者の養成に努力することもわが研究委員会としては、欠くことのできない仕事のひとつであろう。

　日韓条約が「成立」した今日、(1)でのべたような意味で、われわれ研究所に結集する朝鮮研究者をとりまく条件は、きわめてきびしいものとならざるをえないであろう。そういう悪条件を克服し、日本において正しい姿勢に立つ朝鮮研究を量的にも質的にも発展させるためにも、

とりあえず研究委員会は全所員団結の要（かなめ）としての役割を果すために、この一カ年間、創造的に奮闘しなければならない。

機関誌「朝鮮研究」の編集

Ⅰ. 1965年までにほぼ成型に達したとおもわれる内容的編集方針

1. 毎号特定テーマによる部分的特集建とする。

2. 内容構成分野の種別（「朝鮮研究」45号参照）

　イ. つみあげ＝歴史的、理論的、運動論的基礎研究

　ロ. ときあかし＝時論的な解説、提言、主張

　ハ. みおとし＝国際的・世界史的視野での論定

　ニ. かきのこし＝事実の記録的定着

　ホ. ほりおこし＝所在の研究の発掘

　ヘ. （ほん訳紹介）

3. これらの諸分野を全体としてバランスをとって収録する。

4. 毎号48頁建を基準とする。

Ⅱ. 反省と今後への方針

1. 新所員獲得（別項提案）と連けいして執筆者の発掘に積極的な努力をすること。

2. 研究の質的水準堅持、ただし用語の平易化につとめる。

3. 高水準の研究を「シリーズ」（別項提案）において啓蒙的に定着させて行く。

4. 全体的バランス主義の堅持は当分つづけること。（ただし、学術研究的なものと運動的なものとの分化への試みは考えてみたい）

5. ほん訳・紹介をいっそう強化すること。

6. 南朝鮮の実情把握・分析に努力をそそぐこと。

7. 国内の関連諸研究団体の動向・成果を本誌上に反映・吸収して行くことにより、いっそう積極的姿勢をとること。

8. 関連運動の実態を記録的に総括・定着させること。

9. 客観的諸資料（公式諸声明、統計、諸文献目録、年表、政府側諸記録etc.）の豊富化をはかること。

—16—

50　第5回

10. 解説的「講座」の再開、継続をはかること。

11. 文化的分野（美術・音楽・舞踊・民俗）に関するものの開拓につとめること。

Ⅲ. 所員の執筆に対する積極的姿勢に関しての提案

　　1人1年／論文　／解説　／ほん訳（紹介・書評 その他）以上の原則

Ⅳ. 「機関誌の真摯・確実な定期刊行継続こそ当研究所の柱である」という根本的原則の強固な
　　再認識との訴え。

1966年度事業活動方針（案）

　基本方針にもとずき、その具体化のため、本年度の事業活動を次のように考える。

　第1は、第4回総会で指摘された「研究成果の出版的定着」をひきつづきとりくむことである。同時に、言論・出版界に対する影響力を強めつつ、研究所の存在と研究成果をもちこんで行くための仕事を推進することが必要である。

　第2は、普及啓蒙活動の面で、「誰のために」を明確に打出し、研究と運動との結節点における諸計画を適宜かつ柔軟性に富んだものとして実行する。

　第3に、財政活動との関連において、より一層、積極性をもって行う。

以下、具体案を提示する。

Ⅰ. 朝研シリーズ

　研究成果の発表・普及ならびに新しい問題提起をおこなう。セミ定期刊行的ものとして企画・刊行する。その概要は、年間：6冊以上／体裁：B6版・100頁内外／価格：100～200円／部数：1000部以上／執筆者には第2版より原稿料を原則として出す。

　例として、現在考えられているのは次のようなものである。

1. 朝鮮近代史の手引　　　　2. 国連と朝鮮問題

3. 日韓条約と対韓経済進出　　4. 朝鮮の美術工芸

－17－

II. 資 料 集

　　資料保存という点と、情勢からくる必要という点から、資料集をまとめて出す。

III. パンフレット

　　情勢に応じて上半期、下半期に各1冊宛出す目標をもつ。

　　64ページ、B6版、10,000部以上を初版とする。ただし、十分に情勢を検討し決定し

なければならない。

IV. 複刻版文献

　　主として朝鮮関係の書籍、小冊子等の文献で、現在、再版の要望のあるものを中心に、学術

研究に貢献しうる価値あるもの、記録、ルポ等のもの、朝鮮語のものも含めて企画・出版する。

　㋑　出版は原則として軽印刷システムで行う。

　㋺　準備として、顧問会議を開き、出版方針を明らかにし、リストアップを行う。

　㋩　準備として、図書案内を印刷し、関係者に発布し、希望図書のアンケートをとる。

　㋥　準備作業完了後、複刻版対象本の入手＝借入、購入等を行い作成にとりかかる。

　㋭　配布は、会員制としたい。

　㋬　発行の基本部数は、最低100部とし、それ以下の需要しかない時は複刻しない。

　㋣　目下「童蒙先習」「千字文」「朝鮮歳事記」等をマイクロフィルムに収めてある。

V. 朝鮮研究所紀要

　　創立5周年の事業として、学術研究論文集を出す。

　　A5判、200ページ、　活版箱入1,000部以上。紀要編集委員会をつくり、秋（11月）

発行をめざす。これを契機として、定期刊行の可能性を求めたい。

VI. 勁草書房「アジア‐アフリカ叢書」第1期について

　　朝研担当は次の通り。

－18－

(1) 現代朝鮮論　　(2) 記録・延吉爆弾　　(3) 朝鮮近代史

の3篇である。第2期に継続発展させるため、ぜひとも成功させたい。あわせて、他の出版社をも開拓し、朝鮮関係図書の発行が拡大されるために努力することが大切である。

Ⅶ. 図書交流 - 翻訳資料紹介室

- ㋑ 在庫の整理と目録の作成
- ㋺ 貸出しその他管理システムの完備
- ㋩ 朝鮮国立中央図書館との交換に際し、こちらからの寄贈図書の確定。
- ㋥ 日本人研究者の図書需要度を把握し、次回訪朝の際に先方と接渉する。
- ㋭ 翻訳資料紹介室の設立準備をはじめる。
- ㋬ 翻訳者集団を結成する。
- ㋣ 委託図書の配布販売の積極化をはかる。

Ⅷ. 朝鮮問題講師団について

　　朝鮮問題に関する講師派遣活動は、日韓斗争の時期を最高に、その他専門分野にまでわたって拡大の方向にある。これを事業化する必要に迫られていると考える。その第一歩は、求められて答えられるところから、積極的に訴え、呼びかけ、組織する段階にはいったということである。したがって早急に講師団を結成し活動にとりくむ。

- ㋑ 基本的な問題
  1. 名簿の専門別分類作成と講師依頼・登録
  2. 斡旋規定と団名簿を印刷し、関係団体に送付
  3. 団会議を開く
  4. 講師料の　　　％を会計に入れる。
- ㋺ 計　画
  : 都内地域（区）および各大学にて講演会をひらく。

　　　　各100名～300名規模1月1回以上

  : 関西地方講演会（神戸、大阪、京都）を開く。

— 19 —

Ⅸ. 研究会 - 講演会 - 講座の運営

(イ) 創立5周年記念講演会を開く。

(ロ) 火曜講座の開催

上半期は月2回 下半期は毎週開催したい。

(ハ) 朝鮮語講座の開催

上半期 4月 〜 7月　　　初・中各1クラスを開催、5名以上集まれば実施、語学ので

下半期 9月〜12月　　　きる日本人を養成する事業として、やめることなくとりくむ。

(ニ) 必要に応じて、公開研究会、講座、講演会を開催する。

(ホ) ゼミナールの開講

畑田ゼミはすでに開講しているが、本年は問題別ゼミナールの開催を実現したい。原則と
して会費をとり定員制とする。

(ヘ) その他、必要とおもわれる事業。

Ⅹ. 単独出版計画

1. 翻訳・金玉均研究論文集　　2. 朝鮮通覧(日本語版)　　3. 日朝友好学習辞典(仮題)
等、計画・出版する努力をする。

Ⅺ. 学術交流問題

招請があれば、予定していた代表団を派遣する。同時に他団体と協力して、学者、研究者、
文化人の入国実現のため活動する。昨年にひきつづき、交流事業の拡大をめざす諸活動を推進
する。

Ⅻ. その他

本年は、創立5周年である。創立5周年の記念事業を行う。

「朝鮮文化史」刊行事業について(案)

別紙明細[別紙省略]

—20—

54　第5回

〔 資 料 〕

規　　　約

第 1 章　　総　　則

第 1 条　本研究所は、日本朝鮮研究所といい、事務所を東京都におく。

第 2 条　1. 本研究所は、朝鮮に関する各分野の研究者によって構成される民間研究機関である。

　　　　2. 理事会の議決を経て、必要の地に支所をおくことができる。

第 2 章　　目 的 と 事 業

第 3 条　1. 本研究所は、日本人の手による、日本人の立場での朝鮮研究を目的とする。

　　　　2. 本研究所は、朝鮮研究者を広く結集し、朝鮮に関する諸般の研究を行ない、その成果をひろめ、朝鮮研究の水準向上に資することによって日朝友好に寄与する。

第 4 条　本研究所は、その目的（第3条）を遂行するため、下記の事業を行なう。

①　朝鮮に関する総合的研究

②　各種の研究会の開催

③　各種の講演、講座、講習会の開催

④　定期刊行物の発行

⑤　各種単行本、研究紀要、年鑑、便覧類の発行

⑥　関係資料の蒐集

⑦　関係研究機関との交流

⑧　各種委託調査、委託翻訳の実施

⑨　研究者の養成と在外研究への便宜供与

⑩　その他必要なる事業

第 3 章　　構　　成

第 5 条　本研究所の構成種別は次の通りとする。

1. 所員　本研究所の目的に賛同し、所費年額金3,600円を納め、目的達成のため一定の義務を負って参加する者

2. 賛助所員　本研究所の目的事業を賛助し、会費年額金12,000円以上を納めるもの

3. 顧問　本研究所の活動の大綱について助言し、必要なる指導と援助を与える

第 6 条　所員になろうとする者は、所員2名の推せんを必要とする。

第 7 条　　賛助所員になろうとするものは、別に定める規定により入会申込みをする。

第 4 章　　　役　　員

第 8 条　　本研究所には次の役員をおき、総会において選任する。

1. 理　　事　　若干名

2. 会計監査　　2 名

第 9 条　　理事のうち、理事長1名、副理事長若干名、研究会議々長1名、常務理事若干名、
会計監査2名を総会において選任する。

第10条　　1.理事長とは本研究所を代表する。

2.副理事長は理事長を補佐し、事故あるときはその職務を代理する。

3.研究会議々長は研究活動を掌握し総括する。

4.常務理事は業務の執行にあたりこれを総括する。

5.会計監査は会計を監査する。

第11条　　役員の任期は1年とする。再任は妨げない。

第 5 章　　　会　　議

第12条　　1.総会は、全構成員をもって年1回ひらき、研究上、経営上の前年度計画を総括確
認し、次年度計画を審議決定し、予算、決算、人事をきめる。

2.総会は理事長が招集する。

3.総会における議決権は全構成員によって平等に行使される。

第13条　　1.理事会は、理事長、副理事長、研究会議々長、常務理事、理事によって構成する。

2.理事会は年2回以上開く。

第14条　　1.次の事項は理事会の議決を要す。

①　研究事業計画および収支予算書

②　研究事業報告および収支決算

⑤　その他理事長が必要と認めた事項

第15条　　1.研究会議は、議長が招集し、定期的に開催する。

2.研究会議は総会より委任された研究活動について審議・具体化し実行する。

第 6 章　　　事務局および職員

第16条　　1.本研究所に事務局を置く。

2.事務局は常勤所員によって構成される。

3.事務長は理事のなかから選任し理事会の承認をうける。

4.事務局には職員をおく。職員は常務理事会の審議を経て理事長が任命する。

第7章　　賛　助　会

第17条　　1.研究所の目的と事業に賛同し、援助する法人、団体、個人によって構成する。

2.賛助会の運営等については別に定める。

第8章　　会　　計

第18条　　1.本研究所の財政は、所費、賛助所費、賛助会費、寄付金、事業収入等をもってあ

てる。

2.本研究所の会計年度は毎年　　月　　日よりはじまり、翌年　　月　　日に終る。

第9章　　付　　則

第19条　　この所則は、総会の議決を経て改廃することができる。

第20条　　この所則は、1964年12月6日より発効する。

以　　上

日本朝鮮研究所第 6 回定期総会資料

とき　１９６７年２月１２日前１０時

ところ　日本朝鮮研究所（新宿）

目　　次

1. 5 年 間 の 総 括 ………………………………… 2

2. １９６６年度の事業活動報告 …………………… 4

3. １９６６年度の機関誌報告 ……………………… 6

4. １９６６年度の研究活動及び諸会議報告 ………… 7

1. １９６７年度の機構改革案 ……………………… 9

2. １９６７年度の研究活動案 ……………………… 10

3. １９６７年度の機関誌活動案 …………………… 11

4. １９６７年度の事業方針活動案 ………………… 11

5. 　　　　　規約改正案 …………………… 12

6. １９６７年度の財政方針案 ……………………… 13

7. 資　料　１９６６年度役員名簿 ………………… 14

　　　　〃　　１９６６年度所員名簿 ………………… 14

　　　　〃　　１９６６年度規約 …………………… 16

― 1 ―

Ⅲ　定期総会資料　61

1. 5 年 間 の 総 括

　日韓条約が発効されて2年目を迎え、アジア諸国の諸関係は益々交錯、複雑化の道をたどってき
ている。一方、3年越の『朝鮮文化史』刊行事業も無事終了し、研究所は、こゝに第6回定期総会
を迎えることとなった。これを機会に所内から、こんごの研究所のあり方を真剣に検討する必要
があるとの声が上ってきた。

　12月上旬、常務理事会で、財政問題を含む今後の研究所のあり方が議題となってから本総会案
が出来るまで本問題について常務理事会で8回、研究委員会幹事会（拡大も含む）で6回、全所員
集会で1回、延討議時間で約50時間近くを費してきた。総会草案作成に参加した関係所員は、ほ
ぼ次のことで意見の一致をみた。

1.　この際、5年間の総括を行い、新しい発展の基礎を作る。

2.　複雑な国内外の情勢が所内に反映してくることはさけられない。創立趣旨にもとずき団結をは
かる。というものであった。

　　　総　　　括

　過去5年の詳細にわたる総括は、近刊予定の「論文集」に、研究内容の分析は「朝鮮研究」2月
号に夫々掲載されるので省略し、ここでは基本的なことのみにふれる。

(1)　かかる民間研究所が5年間存続、継続して機関誌（60号）を発行しつづけ、益々発展の土台
を固めつつあることは、日本の歴史にかつてない偉業といえる。

(2)　研究所の目的の一ツである "日本人の立場から、日本人の問題として、日本人の責任において"
という研究姿勢は（日本人の朝鮮問題へのありかた）関係諸分野に肯定的な影響を与えた。とり
わけ、日韓条約反対斗争のなかで、広く国民の支持を得、実践のなかで研究所の考え方の正しさ
が立証された。

(3)　研究対象の重点を朝鮮近・現代および日朝関係におき、一定の研究蓄積を重ねるとともに、朝
鮮問題にたいする理論的、実践的なアプローチの方法を追求して、日本人の立場にたつ方法論の
確立に寄与した。同時に、新鮮な問題意識の形成をとうして、朝鮮史学会にたいしても一定の刺
激をあたえた。

(4)　1964年秋以来、2年余の歳月を要し翻訳・編集した「朝鮮文化史」の出版事業は、日朝学
術交流に具体的に貢献したもので高く評価される。

(5)　研究蓄積の具体化である出版物も「朝鮮研究」はじめ12点をかぞえ、内容も逐年多方面にわ

－2－

たり、読者層も厚みをまし影響を広めてきた。

(6) 事務所も湯島から新宿へと拡張され、常勤事務局は2人から4人へ、財政規模も数倍に増加した。

以上のごとく、この5年間、研究所は拡張、前進を続け、内外にその存在価値をたかめ、ようやく社会的な市民権をかちとることが出来たといえる。

しかし、このような成果は、自然発生的に生れたものではなく理事長をはじめとして創立以来、所運営の中心となつてきた役員と多くの所員の多大な労働奉仕といくたの犠牲のうえに、前記の成果と今日の研究所あることを評価しなければならない。

反面、日本における朝鮮問題がうける社会的制約から、この種の民間研究所を支えることは一般的にいつて容易なことではない。加えて創立時に既に数十万円の負債をもつて出発したという特殊事情もあつて、財政面では困難の連続であつた。当然なこととして無理な資金繰が生じ、その処理、運営は創立当時のいきさつからみて、特定の役員に集中せざるを得ない仕組となつていた。

こういう事情のもとでは当然のこととして

(1) 少数の役員に財政問題が集中し、その他の所員は、不安定な財政問題に、できることなら関知したくないという空気が最初から存在した。

(2) 一方運営の中心にあたる役員は資金繰の特徴ともいえる時間に拘束され、会議にかけるまもなく、結果として独断、専行的傾向を強めていつた。

(3) こういう状況のもとで、研究所の運営は全体として、資金繰に従属する側面が強くなり所内に色々な矛盾の発生をうながした。

(4) このような否定的な傾向は速かに改善、克服されねばならぬもので、例えば専務理事制を廃し、集団指導制の常務理事制に機構改革するなど努力を続け、一定の成果を上げつつも、なお次の理由によつて、充分なものとなり得なかつた。

〔イ〕 適当な機会に全所員を信頼し、財政の実績を明らかにして解決の方法を集団的に考えるべきであつたが、それがなされなかつた。執行部はさまざまな意見や批判が所内にあることがわかつていながら、それを引き出し、所の発展のためのエネルギーにくみあげなかつた指導力の不足があり、たとえわずかでも責任を分担したり犠牲を払つてくれようとしている所の内外の人々の好意を充分効果的に組織しえなかつた弱さがあつた。

〔ロ〕 所員のなかに運営について、色々の意見や批判をもちつつも、自分に責任の及ばない範囲内で発言し、一定の距離をもつて研究所に参加してきた傾向が全体として克服できなかつた。

社会的な制約や負債をもつて発足しても、全面的に所員を信頼し、問題の解決にあたるという

— 3 —

態度を終始堅持していたならばもつとよい成果をあげることが出来たであろう。

研究所に対し、責任や犠牲はより少く、える成果はより多くという傾向が今少し、早く克服されていたら、これまたよりよい成果をあげることが出来たと思われる。

この五年、研究所は実に貴重な経験と教訓を学んだ。

なによりも大きな成果は、この度の約50時間にわたる討議を通じ中心所員の結集が強まり、今度こそ自分たちの責任で研究所を運営するという自覚と主体性が強まつたことであろう。この新しいエネルギーをより多くの所員に広め、発展させ、心ある国民の要望に答えなければならない。

日本朝鮮研究の発展のために

〔1〕 日本朝鮮研究所所員は

(イ) 日本人の手により、日本人の立場での朝鮮研究を目的とする。

(ロ) 朝鮮研究者を広く結集し、朝鮮に関する諸般の研究を行い、その成果をひろめ、朝鮮研究の水準向上に資することによつて日朝友好に寄与する。

以上2ケ条にもとずいて結集、強化をはかつていく。

〔2〕 いうまでもないことであるが、研究所は、政党と異なり考え方の違う人たちによつて構成されている。思想、世界観、生き方の相違を理由に排除や干渉を許してはならない。

以上、二つの原則をふまえ研究所の団結を促進する。

2. 66年度の事業活動方針で実現できたものとできなかつたもの

(1) 方針になく実行されたもの

研究生制度の設置と「朝鮮人学校の日本人教師」の出版

(2) 方針通り実行されたもの

(イ) 朝研シリーズ「朝鮮近代史の手引」

(ロ) 単独出版「北朝鮮の国際路線」

(ハ) 資料 「朝鮮民主主義人民共和国の水産業」

(ニ) 火曜講座 28回 参加者延人員（所員は除く）438人

(ホ) 朝鮮語講座 初級2期参加者 31名、修了者23名 中級2期参加者 11名、修了者5名

— 4 —

(ヘ)　畑田ゼミナール　　第2期生　　6名

(ト)　朝鮮文化史上・下巻翻訳・編集

(3)　実現できなかつたが、作業継続中のもの

(イ)　民族教育のパンフレツト、五周年記念論文集、朝鮮語テキスト、金玉均論文集、対韓経済侵
　　　出

(ロ)　千字文、童蒙先習（複刻版文献）

(ハ)　図書交流・66年度中に新らたに定期刊行物　　　　点が送られてきている。

(4)　実現できなかつたもの

(イ)　出版計画、国連と日韓条約、文化史叢書など11点

(ロ)　翻訳資料紹介室

(ハ)　講師団編成

(ニ)　学術交流訪朝団派遣

(ホ)　創立五周年記念事業

　　成　　　果

(1)　文化史上・下巻の翻訳・編集を行い、かつ、＜刊行会＞を組織し研究所の評価を内外に高め、
　　同時に財政的にもプラスすることができた。つまり、翻訳・編集・組織・財政にそれぞれ寄与し
　　日朝の学術交流に貢献しえた。文化史刊行事業が色々な面で支えとなつて次に掲げる成果を上げ
　　ることができたといえる。

(2)　研究生制度の創設は、国民の具体的要求に答えるということと研究所が所員以外の人びとに直
　　接つながりをもち得たということで画期的な進歩である。この制度は、研究者養成にもつながる
　　もので今後の研究所のあり方を示唆する貴重な成果といえる。

(3)　各種の講座・ゼミなどの啓蒙・宣伝活動は一段と活発化し、特に火曜講座は不特定多数の人び
　　とに影響を与え、火曜講座参加者のなかから、研究生・語学・ゼミなどの希望者が多くでており
　　来年も引続き発展させなければならない。

(4)　年間4点の出版物は、今迄の最高でその面では進展とみられる。

(5)　5年間に、内外の関係団体との資料交換によつて、かなりの資料が蓄積された。なかでも朝鮮
　　民主主義人民共和国関係の資料は質・量ともに日本人団体では最高のものといえよう。

不充分と思われること

(1)　66年度の事業計画のなかで、全つたく手つかずのもの、作業中で中断し、実現のみこみのないものなどかなりの件数がある。中断中のものは別にして所の実力からみて、計画それ自体に多少無理があつたのではなかつたか？

(2)　66年度の運動面では民族教育が大きな問題であつたが、研究所独自でこれに対応する出版物（機関誌を除き）を出し得なかつた。研究と運動の結合を研究所設立趣旨の中心の一つに置いてあるだけに、このことは充分な検討を要すると思われる。

(3)　65年度迄は、主に「日韓条約」との関連で、運動面に常に一定の影響力を与えてきたが、66年度は、民族教育問題に限らず、全体として理論創造の面にたちおくれがあつたといえる。

(4)　研究所は、直接、間接に所員の協力と労力奉仕にあづかつてなりたつている。過去1年をふり返つてみると、文化史の翻訳・編集にたずさわつた所員と『朝鮮近代史の手引』『朝鮮人学校の日本人教師』『北朝鮮の水産業』の著者が同一所員であり、また、研究生の講師、朝鮮語、その他講座の担当者が、同時に機関誌の常連執筆者であるというのが実状で、少数の所員に仕事が集中しすぎていることがわかる。

しかも1銭の原稿料も講師料も払われておらず、交通費すら自腹ということを考えると、なんとしても改善を必要とされる欠点であろう。

3.　機　関　誌

66年度の編集方針は下記の通り

1.　48頁建の定期刊行　　2.　所員獲得と執筆者の発掘　　3.　研究の質的水準の堅持
4.　全体のバランス主義の堅持　　5.　機関誌に発表されたもので適当と思われるものは、一冊にまとめ出版する　　6.　南朝鮮の実情把握・分析に努力　　7.　関連運動の総括・記録
8.　翻訳・紹介の強化　　9.　その他

成　果

(1)　合併号を出さずに済んだのは今年度が最初で画期的なことである。

(2)　年初の編集方針の2と6を除き、ほぼ編集方針にそつて編集が行なわれてきた。

不 充 分 な 面

(1) 執筆者の開発は思うように進まず、66年度も執筆者は同じ顔ぶれで終始した。（別記参照）

(2) 機関誌に掲載されたいくつかの論文は、問題提起や理論創造への努力が試みられているにもかかわらず、所内で組織的な討論や批評が行なわれずにきた。

(3) 執筆依頼がおそく、誤植が多い。

機 関 誌 執 筆 者 内 訳 （ 順 序 不 同 ）

所 員 の 執 筆 者				所外の執筆者		研 究 生	
梶 村	3回	藤 島	1回	由井 鈴枝	2回	赤石 英夫	1回
吉 岡	5	安 藤	2	塩見 青嵐	1	日元 久勝	1
樋 口	1	中 瀬	3	土生 長穂	1	欄木 寿男	1
塩 田	1	奥 村	3	安倍 能成	1	條田 隆	1
木 元	1	川 越	4	中吉 功	2	寺木 一	1
大 村	3	寺 尾	5	熊谷 宣夫	1	遠藤 ふみこ	1
田 村	1	小 沢	2	李 進熙	1		
森 下	1	渡 部	12	加藤 マユミ	1		
宮 原	1	梶 井	2	鬼頭 忠一	1		
旗 田	1	佐 藤	7	金森 襄作	1		
井上秀雄	2	桑ケ谷	2	高橋 信夫	1		
秋 元	1	畑 田	5	任 展慧	1		
桜 井	1						

所員　25名　　　所外執筆者　12名　　　研究生　6名

4 研究活動及び諸会議

(1) 常務理事会

ほぼ月2回平均開かれてきた。出席は役員の約50%、年間を通じ一番多く議せられたものは、財政問題と新年度の所のあり方についてであつた。

— 7 —

成果として

(イ)　関西支所準備会の設立

(ロ)　亜東社の協力があったとはいえ、月平均数十万円の財政を大過なく運営してきた。

(ハ)　過去5年の複雑・困難な諸問題を所員の団結強化という方向で解決の方針を出した。

不充分な点として

(イ)　常務理事会の団結（結集）と執行状況は、過去にくらべ改善されつつあるが、財政問題など
にみられるように依然として特定の役員に負担が集中している。

(ロ)　大局的観点からの情勢討議及び研究所の果す役割と意義などについての意志統一の不足。

(ハ)　名目所員を名実所員になってもらう努力の不足。

(2)　研究委員会

　　月1回定例会議は欠さず開かれてきた。出席者は委員の約40％で、出欠のメンバーはほぼ固
定化していた。研究委会の設立趣旨に副って、できるだけ実務的なものはさけ、ときどき重要と
思われる問題の報告をうけ討論を行ってきたが、最大公約数的なテーマの選定にも原因があり、
全体としてつっこみが不足し、初期の成果を上げることにはならなかった。

(3)　研究委員会幹事会

　　会合は一番多く開かれ、出席率も約80％で非常に高い、『朝鮮研究』の編集、研究生の掌握、
火曜講座の立案、出版の企画、その他所のあり方などについても積極的な意見を展開、研究、事
業、運営の面で立案、実行の中心となってきた。

　　しかし、21名の研究委員中、全ったく出席しなかった委員5名、数回の出席者数名という実態
で、実状は拡大幹事会とあまり変りない状態であった。

　　常務理事会でも、常事出席する役員は、4名つまり$\frac{1}{2}$ということで、いずれも執行機関として充
分な機能を果したとはいい難い状態であった。

所内研究会の状況

在 日 朝 鮮 人 研	教 育 研
日 朝 中 連 帯 研	南 朝 鮮 研
現 状 分 析 研	農 業 研
思 想 史 研	文 学 研

以上 8 研究会があるが、農業研、文学研が定例で開かれており、他は現状分析が 3 回開かれたの
みで、ほかの研究会はほとんど開かれないで終つた。

　前年度から研究会の改善が方針になりつつも遂に克服されないまま一年が過ぎた。
その原因については「歴史関係の所員は朝鮮史研究会と重複するから」「現代朝鮮論関係の研究会
が振わないのは、関係所員の姿勢に問題があるのではないか」「自分で苦労して研究会を続けると
いう考えがなく、成果だけうるという利己的傾向がみられる」等々の意見があつた。

　いずれにしても、研究会の不振の研究所は、「歌を忘れたカナリヤ」にもひとしく、早急に克服
が望まれる。

ま　　と　　め

　今年度最大の成果は、総会準備に際し、過去 5 年間のるい積ともいえる複雑困難の問題を中心所
員の団結強化という方向で解決したことである。

　次は、朝鮮文化史の完成で、内外に研究所の声価を高めたことである。

　不充分な面として、限られた所員になにもかも負担が集中していること。換言すれば所員の結集
が充分でないということであろう。今一つは、研究会の不振、つまり組織的蓄積の不充分さである。
このほか財政問題はじめ、多くの困難が予想される。しかし、そのいずれも前記の成果によつて克
服、解決の途が開かれた 1 年であつたといえる。

1 9 6 7 年 度 方 針

1.　機　構　改　革

　従来、常任理事会は、研究活動を除く他の一切の研究所運営の執行の任に当つてきた。研究委員
会と同幹事会は、研究活動を掌握、総括してきたが次に掲げる理由によつて、常務理事会、研究委
員会、同幹事会を廃止し、従来 3 機関が行つてきた業務を新設の「運営委員会」の 1 カ所ですべて
行うこととする。

　　　理　　　由
(1)　6 5 年度、6 6 年度と 2 年続いて研究活動を掌握、指導する機関の改革を行つてきた。理由は
　　いずれも任命された所員の結集が充分でなく、のぞましい結果が得られなかつたということてあつた。
　　このことは基本的に機構に難点があるのではなく、基本的には中心所員といえども自覚に問題が

Ⅲ　定期総会資料　69

あるということであろう。その他の諸会議、諸研究会についても同じことがいえる。以上の反省にたつて、今年度は、総花的、分野主義的役員選考をさけ、自発的に研究所に参加している所員をもつて執行体制を確立する。

(2)　研究活動と財政・事業など審議（執行）するところが違うため出版企画などにしても、執筆者との間に意志の疎通を欠きやすく、財政問題についても、常務理事会と他の所員との間に認識の違いを生むなどして、研究とお金の問題が違う場所で話合われることから、所員の結集を強めることにはならなかつた。多少わずらわしくとも、この2つを同じ機関で審議、執行することが結果として所員の結集強化に役立つこととなる。

研究生の修了者を広く結集するため、あらたに「準所員」制度をもうける。（規約改正案参照）

2.　研　究　活　動

研究活動の不活発さが機関誌はじめ、色々なところに弱点としてあらわれてきていることが指摘されたが、文化史の翻訳・編集という大事業を終えた現在、今年度こそ、この不充分さを改善しなければならない。

もともと研究会は、押しつけてできるものではなく、技術的なことで解決できるものでもない。要は、所員の自覚と自発性にまつほかはなく、自発性をどうしたら発展してもらえるかに配慮を払わなければならない。

経過報告のなかでふれているように

(イ)　中心所員の多くは、5ケ年の活動のなかで、過去の蓄積をついやし、新らしい情勢に対応する蓄積が必要とされてきている。　今年度は研究会の活発化を図り、蓄積に重点を置く。

(ロ)　全分野にわたり、蓄積を図りつつ、とくに日韓条約具体化状況の分析に力をそそぎ、新らしい情勢に対処する理論創造につとめる。

(ハ)　画期的な朝鮮文化史の出版事業を内容的により深め発展させ、日朝学術交流に寄与する。

(ニ)　諸分野の研究者の要望に答えつつ、関係研究者の結集に努める。

従来行なわれている研究会のほか、今年度特に力を注ぐ研究会は

(1)　現状分析研究会

(2)　南朝鮮研究会

この二つの研究会を強化発展させる。このほか

(3)　「全所員研究会」を月1回行なう。年初に1年分のテーマと報告者を決定する。

(4) また『朝鮮文化史』の内容を深めるということから、所内外で討論を組織する。

(5) 情勢等によっては、随時「問題別研究会」を行う。在日朝鮮人研究者との交流も必要に応じ考える。

3. 機 関 誌

(1) 誌形は4月号からA5版に改め、書名はそのままとし、立組64頁建て　売価200円　従来通り、月刊とする。

(2) 年初に主要論文12本のテーマと執筆者を決める。

(3) 研究論文は各号1本とし、あとは広く運動関係に役立つようなものを念頭に編集を行う。

(4) 編集の基本的考え方は、昨年と変わらないが、今年度特に力を注ぐものとして

(イ) 朝鮮民主主義人民共和国から送られてくる資料のなかから、研究所独自の判断にたつての翻訳、紹介を行う。

(ロ) 南朝鮮人民の動向の紹介、分析

(ハ) その他、書評、紹介、朝鮮問題に対する基礎知識欄の設置など、啓蒙面での工夫を試みる。

(ニ) 連載物は、1冊にまとめて出版できるようあらかじめ計画をたてる。

4. 1967年度事業活動方針案

情勢、蓄積、財政、執筆者所員の条件など新設の「運営委員会」で充分検討し、推進を図る。

『朝鮮近代史の手引』は、量は多くないが、平均した売れ行きを示している。諸般の情勢から、短期間に大量に販売できる出版物は当分考えられない。地味ではあるが長期に必要とされる出版物の企画を考える必要がある。

朝鮮問題に対する関心は、全体として否定的な傾向にある。しかし、一方心ある国民は、朝鮮問題の重要さを認識してきている。従つて各種の講座、研究生などの養成は益々重要となつてきているが、研究所の力量も考慮し、責任を果せる範囲で重点的企画を考える。

出 版

(1) 前年度から引続き作業継続中の『金玉均論文集』、『朝鮮語テキスト』、『民族教育のパンフレット』などを優先的に刊行する。

－111－

各方面からのぞまれている出版物もあるが、原則として機関誌に掲載されたものをまとめて出版する。

(2) その他資料集、複刻版なども慎重に検討し準備を行う。

(3) 前年度と同じく、所員の出版社への執筆あつせん、紹介を行い、言論、出版界への影響を図る。

　　講　　座

(1) 火曜講座の開催　　(2) 研究生制度　　(3) ゼミナールの開催　　(4) 朝鮮語講座

(5) 必要に応じ、公開研究会、講座、講演会などを行う。

　　そ　の　他

(1) 招請があれば、北朝鮮に朝研代表団を派遣する。同時に他団体と協力して、学者・研究者・文化人の入国実現のため活動する。ひきつづき文化事業の拡大をめざす諸活動を推進する。

(2) 図書の整理と図書目録の作成、翻訳者グループの結成。今年も引きつづき、積極的に朝鮮問題の講師を派遣する。

関 西 支 所

　　近く正式に支所設立を行う関西支所に対し、次の提携、協力を行う。

(1) 研究会は相互の所員が協力し、向上を図る。適当な機会をとらえ、本所、支所の合同研究会を行う。研究成果を機関誌その他に発表する労をとる。

(2) 関西支所の行う公開講座の講師などのあつせんを行う。

(3) 朝鮮民主主義人民共和国の関係機関に連絡し、関西支所に資料が直送されるようにする。

(4) 昨年に引続き、今年も出版物の販売利益金を中心に財政援助を行う。

5.　規 約 改 正 案

　　第5条の1の次に、次の字句をそう入する。

「2準所員、本研究所の目的に賛同し、準所員　年額2,400円を納め所内研究会に出席することができる」

　　第6条に、次の字句をそう入する。

「2準所員になろうとするものに研究所の研究生を終了したもので、講師の推選するものに限る」

　　第8条に、次の字句をそう入する。

「2. 運営委員　若干名」

　第10条に、次の字句をそう入する。

「3. 運営委員は研究活動を掌握し、業務の執行・総括にあたる」

次の字句を訂正及び削除する

　　第5条の＜2＞の数字を＜3＞に改める。

　　第9条の＜常務理事若干名＞を削除する。

　　第10条の＜4 常務理事は業務の執行にあたり、これを総括する＞を削除する。

　　第13条の＜常務理事＞を削除する。

　　第15条の4の＜常務理事会＞の字句を＜運営委員会＞に改める。

6　財政方針

　過去5年間の研究所の財政は、所員の労働奉仕が基礎にあつてなりたつてきた。今年度は、事務局の縮少によつて、所員の負担が従来より一層強化されることが予想される。所員の積極的な協力なしには、財政がなりたたない予算構成となつている。

　所員の協力、結集を得るためには、過去の経験にてらして第1に経理内容は常に公明であること。これなくして所員の結集はないといえる。

　第2は健全財政を堅持することである。そのために積極的な事業啓蒙活動を行う。同時に出版物の販売に所員一人一人の工夫と協力がのぞまれる。

　第3は「その団体を支えている資金の性格が、その団体の性格を規定する」といわれるが、従来研究所の財政は、日韓反対斗争のなかでの出版物による収益が殆んどであつた。換言すれば、日韓反対斗争、日朝友好に参加した広範な国民に支持され今日に至つたものである。これはわが研究所の最も誇れることの一つである。今後もどんな困難があろうとも、日本国民に依拠する姿勢を堅持する必要があろう。

資料 1.

1 9 6 6 年度役員名簿

理　事　長　　古屋貞雄

副理事長　　石野久男・四方　博

常務理事　　渡部　学・森下文一郎・畑田重夫・寺尾五郎・秋元秀雄・安藤彦太郎・藤島宇内・
　　　　　　川越敬三

監　査　役　　牧野内武人・宮腰喜助

理　　　事　　相川理一郎・武藤守一・和田洋一・星野安三郎・木元賢輔・新川伝助・玉井　茂・
　　　　　　大溝正昭・佐藤勝巳・大槻　健・岡　謙四郎・白井博久・塩田庄兵衛・森　一則・
　　　　　　安江良介・中野良介・守屋典郎・指川謙三・東上高志・桜井　清・奥　保男・中野礼
　　　　　　三・大村益夫・梶井　渉

研究委員会委員名
　　　　　　渡部　学・川越敬三・畑田重夫・旗田　巍・藤島宇内・大村益夫・奥村皓一・小沢有
　　　　　　作・梶井　渉・梶村秀樹・木元賢輔・楠原利治・桑ケ谷森男・桜井　浩・中野良介・
　　　　　　原　一彦・宮原正宏・宮田節子・吉岡吉典・佐藤勝巳・樋口雄一

資料 2.

所　員　名　簿

顧問	青　山　公　亮	石　野　久　男	小　沢　有　作	小　松　久　磨
〃	近　藤　康　男	植　村　　　進	梶　井　　　渉	佐　藤　勝　巳
〃	古　林　喜　楽	幼　方　直　吉	梶　村　秀　樹	桜　井　　　清
〃	末　松　保　和	大　槻　　　健	加　藤　卓　造	桜　井　　　浩
〃	畑　中　政　春	大　村　益　夫	川　越　敬　三	指　川　謙　三
〃	松　浦　　　一	奥　　　保　男	岸　　　陽　子	四　方　　　博
以下所員	相　川　理一郎	大　溝　正　昭	木　元　賢　輔	塩　田　庄兵衛
	秋　元　秀　雄	岡　　　謙四郎	楠　原　利　治	白　井　博　久
	新　井　宝　雄	岡　本　三　郎	桑ヵ谷　森　男	新　川　伝　助
	安　藤　彦太郎	岡　本　明　男	小　林　　　勇	鈴　木　一　雄
	飯　田　重　夫	奥　村　皓　一	小　林　庄　一	鈴　木　朝　英

— 14 —

鈴木二郎	中村栄孝	古屋貞雄	村松武司
副島種典	仁尾一郎	古川原	森一則
田辺誠	新島淳良	星野安三郎	森下文一郎
武田幸男	西沢富夫	堀江壮一	山本進
玉井茂	貫井正之	牧瀬恒二	安江良介
田村専之助	野口肇	牧野内武人	結城康宜
塚本勲	旗田巍	宮田節子	吉岡吉典
鶴崎友亀	畑田重夫	宮原正宏	渡部学
寺尾五郎	早川治	宮森繁	和田洋一
東上高志	原一彦	宮崎吉政	蠟山芳郎
中神秀子	樋口雄一	武藤守一	守屋典郎
中野良介	福永孝雄	村上貞雄	
中野礼造	藤島宇内	村岡博人	

今年新しく所員になつた人

横山森之助	井口和起	三宅鹿之助	中瀬寿一
芦田重信	金子道雄	坂本孝夫	上甲米太郎
井上秀雄	木原正雄	清水慶秀	森田静夫
小島晴則	鎌田隆	田辺昭三	
山下哲	木下礼仁	西川禎哉	

資料 3

規　　約

オ1章　総　則

オ 1 条　本研究所は、日本朝鮮研究所といい、事務所を東京都におく。

オ 2 条　1.本研究所は、朝鮮に関する各分野の研究者によつて構成される民間研究機関である。

2.理事会の議決を経て、必要の地に支所をおくことができる。

オ2章　目的と事業

オ 3 条　1.本研究所は、日本人の手による、日本人の立場での朝鮮研究を目的とする。

2.本研究所は、朝鮮研究者を広く結集し、朝鮮に関する諸般の研究を行ない、その成
果をひろめ、朝鮮研究の水準向上に資することによつて日朝友好に寄与する。

オ 4 条　本研究所は、その目的（オ3条）を遂行するため、下記の事業を行なう。

① 朝鮮に関する総合的研究

② 各種の研究会の開催

③ 各種の講演、講座、講習会の開催

④ 定期刊行物の発行

⑤ 各種単行本、研究紀要、年鑑、便覧類の発行

⑥ 関係資料の蒐集

⑦ 関係研究機関との交流

⑧ 各種委託調査、委託飜訳の実施

⑨ 研究者の養成と在外研究への便宜供与

⑩ その他必要なる事業

オ3章　構　成

オ 5 条　本研究所の構成種別は次の通りとする。

1.所員　本研究所の目的に賛同し、所費年額金3.600円を納め、目的達成のため一
定の義務を負つて参加する者

2.賛助所員　本研究所の目的事業を賛助し、会費年額金12.000円以上を納めるも
の

3.顧問　本研究所の活動の大綱について助言し、必要なる指導と援助を与える。

オ 6 条　所員になろうとする者は、所員2名の推せんを必要とする。

オ 7 条　賛助所員になろうとするものは、別に定める規定により入会申込みをする。

－16－

才4章　　役　　　員

才8条　　本研究所には次の役員をおき、総会において選任する。

　　　　　1.　理　　事　　若干名

　　　　　2.　会計監査　　2名

才9条　　理事のうち、理事長1名、副理事長若干名、常務理事若干名、会計監査2名を総会に
　　　　　おいて選任する。

才10条　　1.理事長とは本研究所を代表する。

　　　　　2.副理事長は理事長を補佐し、事故あるときはその職務を代理する。

　　　　　3.常務理事は業務の執行にあたりこれを総括する。

　　　　　4.会計監査は会計を監査する。

才11条　　役員の任期は一年とする。再任は妨げない。

才5章　　会　　　議

才12条　　1.総会は、全構成員をもつて年1回ひらき、研究上、経営上の前年度計画を総括確認
　　　　　し、次年度計画を審議決定し、予算、決算、人事をきめる。

　　　　　2.総会は理事長が招集する。

　　　　　3.総会に於ける議決権は全構成員によつて平等に行使される。

才13条　　1.理事会は、理事長、副理事長、常務理事、理事によつて構成する。

　　　　　2.理事会は年2回以上開く

才14条　　1.次の事項は理事会の議決を要す。

　　　　　①　研究事業計画および収支予算書

　　　　　②　研究事業報告および収支決算

　　　　　③　その他理事長が必要と認めた事項

才6章　　事務局および職員

才15条　　1.本研究所に事務局を置く。

　　　　　2.事務局は常勤所員によつて構成される。

　　　　　3.事務長は理事のなかから選任し理事会の承認をうける。

　　　　　4.事務局には職員をおく。職員は常務理事会の審議を経て理事長が任命する。

才7章　　賛　　助　　会

才16条　　1.研究所の目的と事業に賛同し、援助する法人、団体、個人によつて構成する。

　　　　　2.賛助会の運営等については別に定める。

才8章　　会　　　計

― 17 ―

Ⅲ　定期総会資料　77

オ17条　1.本研究所の財政は所費、賛助所費、賛助会費、寄付金、事業収入等をもつてあてる。

　　　　2.本研究所の会計年度は毎年 1 月 1 日よりはじまり、同年 12月 31 日に終る。

　　　　オ9章　付　　則

オ18条　この所則は、総会の議決を経て改廃することができる。

オ19条　この所則は、1967年 2月 12日より発効する。

以　上

表3

_{日本} 朝鮮研究所第7回定期総会資料

とき　1968年2月18日　12時30分

ところ　本郷学士会館（東大赤門脇）

目　　　次

1967年度総括

1.	総務活動報告	2
2.	機関誌活動報告	4
3.	研究活動報告	5
4.	講座部会活動報告	6
5.	財政・出版・事業活動報告	10

1968年度活動方針案

1.	総務活動方針案	13
2.	機関誌活動方針案	14
3.	研究活動方針案	14
4.	講座部会活動方針案	15
5.	財政・出版・事業活動方針案	16
6.	資　料　　1967年度役員名簿	16
7.	〃　　　　1967年度　規　約	18

Ⅲ　定期総会資料　83

1967 年度総括

われわれは、ここに才7回の定期総会を迎える。過去/年の研究活動をふり返り、不充分を克服し、成果をのばし、発展を期した。

/. 総務活動報告

才6回定期総会は、過去5年間の総括と反省にたつて、役員の構成と考え方を大巾に改めた。理由は、役員会で決定しても、役員の行動がともなわなければ、再び特定役員に負担が集中、諸々の弊害をうむという反省から、新運営委員は、それぞれ執行の責任を分担し、運営をしようということで「知名度よりも行動力」を基準に、本運営委員会は選出され、出発したものであつた。

o 運営委員会の長所と不充分さ

(イ) 多少の不充分さはあつたが、思想、信条、政治的立場の違いを理由に排除や干渉を許さないという大衆団体の運営の原則がほぼ守られた。

(ロ) 講座部会の総括で具体的にふれられているように、研究所独自の努力で、新しい研究者を/0名近く養成しつつあることは画期的な成果といえよう。

(ハ) 運営委員会の決定が毎回配布され、欠席しても決定がかわり、運営の円滑を図ることができた。

(ニ) 財政問題は、常に運営委員会に報告され、財政状況が全委員に周知されていた。

(ホ) 運営委員の多くが、かつてなく、機関誌や賛助会員の募集などに参加した。

(ヘ) 部会によつて、役員によつて、アンバランスがあつたが、運営委員は、いずれかの部会に属し、企画、立案、実行の任に当つた。

(ト) 前年度に比較し、情勢分析や研究所の任務など討論する時間が多くあつた。

(チ) しかし、運営委員会の各部会への指導が充分でなく、担当者に責任が集中していつた。

(リ) 年間の研究所の中心的研究テーマが必ずしも明確でなかつたことが、色々な面に反映していつた。

(ヌ) 運営委員会は、月2回の定例は/回の流会もなく実行されたが、20名の運営委員の出席率は年間を通じ、約30%弱であつた。

(ル) 各関係団体との交流、提携は、従来の疎遠な関係がそのまま続き、ほとんど改善されなかつた。

2. 評　　価

　事務所の移転縮少、事務局員の削減、執行部の大巾改造、意見の相違など多くの困難をかかえ
ての出発であつただけに、たてた方針を実行するということは、あたりまえのことのようだが、
実際は、容易なことではなかつた。所内研究会と出版計画を別にして、他はほぼ方針が実行され
たことは評価されよう。

　とくに、3月から7月まで安いアルバイト料でよく頑張つてくれた竹沢マサさん、無料で5月
から今日まで引続き無償で事務局を手伝つてくれている角田介子さんの御両人の献身的な協力に
負うところ非常に大きく心から感謝したい。

　従来にくらべて、各役員が、かつてなく、決定を実行したことは、評価できるが、問題なのは
30%弱の運営委員の出席率にある。　　運営委員の結集の度合を出席率だけで測ることは
勿論できない。運営委員会に出席できなくとも、原稿依頼、企画の助言、読者の拡大など、多く
の運営委員の協力があつたのがそれである。しかし、決定の実行ということになると、出席の多
い運営委員ほど実行率が高いのが実状である。従つて、運営委員の役員会への出席率の問題は、
非常に重要なことであり、軽視するわけには行かない。

　運営委員の結集の度合は、対内的には研究蓄積の深浅、財政の強弱、対外的には、啓蒙、宣伝
の緩急などとなつてあらわれてくる。つまり、運営委員の質と結集度がよければ、財政も豊かに
なり、研究も発展する。そのことがひいては日本における朝鮮問題のあり方に肯定的な影響を与
えることになろう。逆に質と結集がわるければ、当然逆の現象が起き、正しい朝鮮問題の普及は
愚か、研究所の存在それ自体が危なくなつてくることはいうまでもない。いくつかある不充分さ
は、役員の結集さへ改善されれば解決できるものが多い。従つて、この問題は、研究所の死活問
題といえよう。

　以上の基準で、各部会の総括をみたとき、前年度に比較し、かなりの進歩であつた。しかし、
求められている要望には、大きな距離があり、研究所の現状（研究、財政）にとつても満足すべ
きものではとうていない。従つて、より一層の努力がのぞまれるといえよう。

〇　その他の問題

　機関誌への執筆者の選定及び内容について色々な批判と意見がよせられてきた。そのいずれも
が、学問的な内容にかかわるというより、研究所のあり方、研究路線にかかわるものとしての批
判や意見が多かつた。

問題が発生するたびごとに、運営委員会で充分討議をし、才6回定期総会の確認事項の大衆団体の運営の原則にのつとり、問題の解決を図つてきた。

問題になつた原因は、運営委員会の不注意や批判者の誤解、思い違いなどが重なつて問題化してきたようである。相互に意志の疎通さえ充分であれば、かなりの部分はさけられたと思われ、その点が反省される。

2. 機 関 誌 活 動 報 告

1. 1967年度の編集方針

(1) 研究論文を各号1本とし、あとはひろく運動関係に役立つものを念頭に編集を行なう。

(2) 年初に主要テーマと執筆者を決定する。

(3) 特に力を注ぐものとして

(イ) 北朝鮮から送られてくる資料の翻訳・紹介

(ロ) 南朝鮮人民の動向の紹介・分析

(ハ) 書評、紹介、朝鮮問題の基礎知識欄、連載欄などの設置というものであつた。

2. 実　　積

(1)は、主観的には、そのように努力したが、役に立つたかどうかは‥‥

(2)は、ほぼ方針通り実行され、編集遂行上非常に役立つた。

(3)の(イ)(ロ)は、まつたく実行されずに終つた。(ハ)は、大体方針通り実行され、とくに文学関係の活躍がめだつた。

3. 評　　価

(イ) 事務所の移転、事務局員の削減、機構・役員の大巾改正が重なり、加えて、国際共産主義運動の影響が所内にも反映し、かつてない困難な状況が出現した。そのなかで、誌形を改め版価を下げ、誤植も少なくした。遂に合併号も出さず、原稿料も支払わず、所内外の執筆者も若干ふえ、内容もかなり多方面にわたるなど親しみやすい雑誌を作ることができた。

このような努力は、144名の読者増となつて、あらわれ（他方では自然にやめた人36名長期滞納者で、研究所で打切つた人70名、計106名があつた）雑誌に対する読者の反応も前年度に比較し、非常に多くなつてきている。このような成果の要因は、所員の朝鮮研究に対する情熱と自己犠牲と団結の結果によるもので高く評価されよう。

(ロ) 研究と運動に役立てるという面から、雑誌の内容を検討すると、そのどちらともつかないという性格の論文がわりあい多くあつたことは否定できない。特に運動という場合、具体的

—4—

にどの運動を指すのかが明確でなかつたし、年間の編集の柱が必ずしもはつきりしなかつた
ということ、今一つは、手がなく、頁をうめることに精一杯という三つの事情が重なつて、
原稿の依頼の仕方にもアイマイさを生む結果となり、誰に、何を訴えるかが明確でなかつた。

　次に、複雑な所内情況からみて、あるていどやむをえないことであつたのかも知れないが、
執筆者の多くに思い切つた現状分析や問題提起、活発な討論などが誌上にみられす、今一つ
くいたりない印象を与えることになつた。

　北朝鮮からの資料の翻訳と南朝鮮人民の動向、分析の不充分さは、名実ともに力量不足が
原因で、実現できなかつたものである。

そのほか、執筆者の固定化、発行日の遅滞、編集委員会の結集の弱さ、広告の不足等々、多
くの不充分さを指摘できる。

㈠　全体として、色々困難な条件が重なつたにもかかわらず、かなりの成果を上げたといえよ
う。しかし、われわれの目標は、研究の成果が多くの日本人に定着し、それによつて、人び
とが何らかの行動に参加してもらうことにある。諸情勢もそのことを研究所に求めている。
ところが、本誌の購読者数は約１０００名（寄贈、資料交換も含む）世論形成になんらかの
影響を与えるには、あまりにも距離がありすぎる。

　また、読者数の少ないことが原因で、赤字が続いているという現実の改善も急務で、新年
度も引続き必死の努力が要請される。

　１年を要約すれば、困難な中で前進。目標には道遠し。一層の奮起ということにつきよう。

3.　研究活動委員会報告

　朝研設立以来、所内の研究活動が充分に行なわれていない事が、毎年の総会で反省され、それ
を打破するための様々な提案がなされて来た。６７年度も朝研の組織改革と共に、この悪しき伝
統を打ち破り研究活動を活発にするために、研究委員会が組織された。委員会は２回にわたる会
合を持ち、６７年度の活動を次のようにきめた。

一、所員の研究活動と「朝鮮研究」との有機的関連を強める事。その具体化として、３月「現在
　の政治動向と民族教育弾圧の意味」（吉岡）、４月「ベトナム戦争と韓国経済」（奥村）、６
　月「北朝鮮の教育制度」（桑ヶ谷）、７月「分組都給制について」（梶村）、１０月「連帯の
　歴史と理論をめぐつて」（吉岡、宮田、佐藤、樋口）、１１月「再び連帯の歴史と理論をめぐ
　つて」（清水、吉岡、佐藤）等の全所員研が行なわれた。これらはいずれも「朝鮮研究」の主
　要論文を掲載する１、２月前に報告、多数の所員の検討を経た上で、よりよい論文を掲載しよ

－5－

うとする意図にもとづいて行なわれたものである。その意図が充分みのりあるものになつたとはいえないまでも、機関誌と全所員研との有機的関連をもたせるという具体方針を具体化したものであつて、これは今後も継続し、一層成果をあげる事が望ましい。

　特に世上所謂「朝研理論」とまで呼ばれた「連帯」の問題について、主として所外から提起された批判を全所員研で正面からとりあげ、理論問題として深めようとした事は評価されてよいと思う。その成果が掲載された12月号は所員購読者から、かなりの反響を呼んでいる。これらの意見や批判をふまえながら、この問題を全所員のとり組む理論問題として、引きつづきとりあげて行きたい。

二、全所員研が不充分ながらも、一定の成果をあげたにもかかわらず、個別の研究会は全く不振だつた。現状分析研、南朝鮮研、民族教育研、文学研、農業研、朝鮮文化史を読む会、等多数の研究会が、鋭い問題意識をもつた所員の自発性にもとづいて名のりをあげたにもかかわらず文学研をのぞいて、他の研究会が準備の段階で有名無実になつてしまつた。一体これはどうした事だろうか。所員がそれぞれ自分の仕事をかかえ、多忙だつたのもその一つの原因ではあつたろう。しかし忙しさというものは常に相対的なものである。より根本的な問題は、関心のもち方、問題意識そのものにありはしないだろうか。所員が提起した問題を是が非でも追究しつづけるというのではなく、だれかがやつてくれるなら、自分もそれに参加したいという姿勢だつたのではないだろうか。勿論それでもよいのだが、すべての所員がだれかが研究会を組織してくれる事を望んでいたのでは研究会を組織することはできない。67年度のいな朝研設立以来の個別研究会の不振の原因はもう一歩つつこんで、一つの問題にとり組む所員がいなかつた事に主たる原因があつたのではないだろうか。農業研が三年の長きにわたつて継続し、「協同農場」としてその成果の一端を世に問う事が出来たのは、まさに農業研の中にそのような所員が存在したからに他ならない。私達はそこから多くを学ぶべきであろう。

4　講座部会活動報告

〔I〕　その任務

　この部会の仕事は、所の研究蓄積をface-to-face　の人間関係をとおしてひろめると同時に、そのことを介して、朝鮮問題に関心をもつ人々を所のまわりに直接組織していくことにある。

　部会が新設されたのは昨年の総会であるか、その活動は2年前からはじめられている。だか

－6－

ら、その2年間の経験をまとめてみて、部会としては三層のレベル、それにみあつた三つの形態の活動が大事である、と考えてみた。

① 朝鮮問題に関心をもつ不特定多数を対象にする啓蒙・宣伝――火曜講座。

② 研究的関心をもつ人びとへの啓蒙と組織化――研究生と語学と講座。

③ 研究の力量をそなえる人びとの養成と組織化――研究生二期と語学上級

①と②の1年間の活動の結果、ことしから③の活動が可能になつた。既成の組織で育てられた人を所員にしていくという従来のコースのほかに、所独自の力で準所員、所員を養成、獲得していくという新しいみちが見通されるようになつたのではあるまいか。

このような研究活動の普及、組織化の任務にくわえて、これら対外活動をとおして所の財政に寄与することも課せられた任務であつたが、充分に寄与できたとはいえない。

〔Ⅱ〕 そ の 活 動

（1） 火 曜 講 座

㋑ 火曜講座は2年の歴史をもつが、今年度から場所を「新宿ビル」9階に移し、5月から月2回の割合で開催した（テーマ、講座、参加者数は別紙参照）。

この蓄積によつて、まだまだせまい範囲ではあるが、「朝研の火曜講座」という名称は知られ定着したように思われる。

㋺ 参加者はおもにテーマによつて増減をみせた。その巾は少ないときで6〜7名、多いときで30名である。

集りのよかつたテーマは、朝鮮古代文化（これには三上次男氏のファンが集つた）、日本文学のなかの朝鮮人像、ベトナム戦争と韓国経済などであり、運動や農業にかかわるテーマでは集りがすくなかつた。

参加者の朝鮮への関心の内容の一端がこれから想像もつくが、それと研究所の研究関心とのあいだにみられるズレの問題を検討してみる必要がある。

㋩ 参加者についてもうひとついえることは、火曜講座の「常連」ができつつあることであり、他方、毎回いくにんか新顔がみうけられることである。

これらの人々は、新しい知識や情報をえるために来聴するといつてよいと思うが、そして、火曜講座でのつながり以上にはでない現状であるが（昨年とことなる点）、それをみとめたうえで、所としてもなんらかの組織化の対策をたてる必要があるのではないか。

―7―

㊁　講師について、おおくの所員の協力によつて、従来所とのつながりのうすかつた先生および、火曜講座のテーマの巾をひろげた点は、ことしのひとつの特色であつた。三上次男、石田英一郎、その他在日朝鮮人知識人などの各氏であり、いずれもおおくの参加者を得、内容も好評であつた。この方向はこんごつよめていかねばなるまい。

㊄　このようなプラスの面をみとめるにつけて、われわれのとりくみのしかたが反省させられるのである。

月２回、１本は時間問題、１本は基礎問題（歴史、その他）というおおまかな方向はあつたにせよ、テーマと講師の選定に頭を悩まし、思いつきにながれ、アイデアが涸渇して、とうとう月２回の催しが重荷になつてきた。これが主催者側の実状であつた。

このことの原因は大別して二つあると思う。いづれも所全体の方針とかかわるものであろうが、ひとつは情勢および大衆のもつているものを把握し、これにこたえる企画を充分にくめなかつたということであり、もうひとつはわれわれの主張をおしだし系統的に訴えていく点で非力であつたということである。

（２）　研　究　生

㋑　オ１回の研究生の学習は昨年７月におえたが、はじめての試みとしては成果をおさめたのではないか。講師のしごとにあたつてくれた所員にふかく感謝したい。

この経験の総括を９月におこなつた。

その要点は下記のとおりである。

ⅰ）なによりも講師の姿勢のありようが「研究生」コースを持続させるかさせないかの別れめをつくる。とくにその指導力と熱意とが大事だ。

ⅱ）学習の内容に系統性をもたせることがつぎに必要である。この点で、近代史、連帯のコースに比して、現代朝鮮論のコースは不利であつた。

ⅲ）このように講師にふかく依存する状態であることを考えると、所内の問題として、講師の自己犠牲におんぶしてすすめていくやりかたには、再検討をしよう。準備に多大な労力と時間を払いながら、無報酬であるのが実状である（この点はオ２年度も解決されていないが）。

ⅳ）研究生がみずからを組織し、講習を運営したコースは長つづきする。そのためには研究生の間に「核」になる人をつかまねばならない。所はその方向で援助する。歴史と連帯のコースではこのことが比較的うまくいつたようだ。

― 8 ―

㊁　このような経験をふまえて、10月から第2年度の研究生の仕事を再開した。

今年度は、研究生の新しい募集（1年生）と、前年度の研究生のうちひきつづき学習を継続する有志（2年生）との二本立をとった。前年度の研究生の間に朝鮮問題を本格的に究めようとする芽生えがあったからである。よろこばしい動きであった。

㊂　新しい研究生（1年生）の応募者は31名に達し、現在毎回20名位の出席をえている。研究生はいずれも熱心であり、質問も活発である。宮田所員を講師に「朝鮮近代史」をすすめている。

昨年の場合と多少ことなる特色がことしの研究生にはみられる。個条的にいうと、つぎのようになる。

ｉ）昨年の50数名は日韓斗争で朝鮮問題に関心をもち、火曜講座の聴講者がほとんどであったが、今年は毎日新聞の『短波欄』をみてきた人が大部分で、研究所と直接つながりのない人々であった。

ｉｉ）革新系の人たちの参加の多かった昨年にくらべ、民主運動に関係のうすい市民がおおい。

ｉｉｉ）したがって、運動の課題にこたえるための学習という姿勢のつよかった昨年とはニュアンスをことにして、自分の生きかた、内面の思想とむすびつけて朝鮮問題を考えていく姿勢がつよいようである。

㊃　研究生（2年生）は、本格的に朝鮮問題ととりくもうとする9人の前年度の研究生で構成されている。梶村所員を講師に、全員の討論をへて、「抗日武装斗争」を研究課題にえらんでいる。

2年生にのこった人は、前年度の三コースのうち、歴史と連帯のコースの人がおおい。

現在、研究会の運営は研究生の自主的な努力によっておこなわれ、調査と発表という形式をとってその力量を蓄積しつつある。「朝鮮研究」への発表も期待されている。

（3）　ゼミナール

㋑　畑田所員の指導のもとに、民族問題についての基礎的な理解をふかめていくゼミナールは毎月1回、2年にわたってつづけられている。朝鮮問題への正しい接近が民族問題へのとりくみなしに果されないことから、畑田ゼミのもつ意味はおおきい。

㋺　畑田ゼミは無料でおこなわれているが、また、朝鮮問題そのものを直接の対象としてはいない事情もあって、所の財政に寄与し、朝鮮を直接対象にするゼミナールの設定が、もうひとつのしごととして企画された。集中的な連続講座の開催である。

最初の講座は、旗田所員「朝鮮人の日本人観」をテーマに、1月から12名の参加者をえてはじめられた。来年度には力をいれてとりくむ制度であろう。

(ヘ)　朝鮮語講習

(イ)　本年度の朝鮮語講習は、初級（春、秋2回）、中級、上級の三コースですすめられた。しかし、所のとりくみの体制がよわかつたため、講師および受講者の教授・学習条件に欠陥があつた。

　　講師は、井口（初級）、大村、楠原（中級）、長（上級）の各氏に無理をねがつた。お礼を申しのべたい。

(ロ)　朝鮮語にたいする学習の気運は、すこしづつではあるが、ひろまつているようにみえる。だから、宣伝のしかたを工夫すれば、受講者はあつまる見通しをもつている。

(ハ)　問題は所側の体制である。いちばん大きなネックは講師の問題である。講師のきまらぬうちに募集をはじめたり、途中で講師の交替があつたり、この問題に頭を悩ましたといつてよかろう。

　　このネックを解決するために朝研独自の「講師団」の編成・確立がのぞまれる。それができれば、朝鮮語講習のこんごの継続がおおきく保障される。梶井所員を中心にこれととりくんでいきたい。

(ニ)　語学のもうひとつのネックはテキストの問題である。すでに梶井所員がその草案を作成、現在検討中であり、5月には形をととのえて登場する予定である。

(ホ)　来年度は、「日本人教師による、日本人のつくつたテキストで、朝鮮語を教授する」所内の体制づくりをおこない、これを基礎に朝鮮語講習の開催をすすめていくことが可能になろう。

5.　財政・出版・事業活動報告

1.　財　　政

　今年度の研究所の収支決算は、6万円の赤字であつた。前年度と比較し特徴的なことをあげると

(1)　賛助会費の収入が前年度にくらべ、67万余円もふえた。理由は、66年度分もあわせ、一生懸命に集金したことによる。

—10—

⑵　書籍の売上は、６６年度が約２２３万円であつたが、今年度は４３７万円と約２１４万の売上増となつた。しかし、２１４万円の売上増のなかには、１７７万円の文化史の売上がふくまれているので、直接研究所が発行した書籍の売上増は、約４０万円である。

　『朝鮮研究』も他の書籍の売上も６６年度に比較しほぼ同額なので４０万の増は、機関誌の売掛金（６６年度末までのもの）の集金増である。

⑶　所費は、前年度にくらべ９万円の入金増である。

⑷　６６年度は、収入面で『朝鮮文化史』の翻訳手数料として、４３２万円あつたが、６７年度はそれがなくなり、書籍の売上（文化史の売上を含む）で２１４万円ふえたので、差引２１８万円の減収となつたが、支出の方で、家賃、人件費などの経費が、１７５万円少なくなつているので大体のバランスがとれた。

⑸　印刷費は、２３３万円支払つたうち、今年度分の印刷費が約１５０万円であるから、８０万円は、６６年度以前の未払分である。

⑹　６６年度の借入金と返済金は、ほぼ同額であつたが、６７年度は、７８万円の借入金に対し返済金は１０２万円で、２３万円借金が少なくなつた。

⑺　資産の面では、現事務所の敷金２５万円がふえ、売掛金が６６年度３１０万円あつたものが６７年度は、１４６万円になり、差引１６４万円の減少となつた。他は６６年度とほとんど変化がない。

⑻　一方、負債の方は、借入金が前年度にくらべ２３万円少なくなり、６６年度の未払金は、約４００万（支払手形も含む）あつたものが、６７年度には、２７１万円に減つた。

　これを要約すると資産が約１５８万円減つたかわり、負債も１５２万円減つたので、差引約６万円の赤字となる。つまり、今年１年間に限つてみれば６万円の赤字になつたということである。

⑼　問題としては、赤字が少なかつたとはいえ、在庫品の評価を前年通りに行つており、もし在庫の商品価値が下つておれば、名目的な財産で現実的な価値をもたない。更に売掛金の１４６万にしても、誌代を長期に滞納し、やむをえず打切人の誌代３４万円が含まれているし、所費の未集金（６６年度末）１５万。合計５０万円が計算に入つている。この金額の集金は、きわめて困難が予想されるものであり、本来、財産とみるべきものではないのかも知れない。

　次は、６７年度と同じ財政状態を維持するためには、少なくとも売掛金３００万近く現在もつているか、現在の売掛１４６万円のほか１５０万円を新年度内に製作し、販売、換金化するかのいずれかというきびしい現実が見通おせる。

—１１—

昨年１年の財政活動を一言で評価すれば、よく集めたということにつきる。

2. 出　　版

　本年度出版された出版物は『最近の朝鮮の協同農場』（資料№3）１冊であつた。ほかに『金玉均の研究』が昨年末に初稿が出たが、年度内には本にすることができなかつた。一方『朝鮮語テキスト』も8割原稿ができているが、出版は今年度にもちこされることとなつた。以上のように出版活動は、ここ数年間のうちで、最も少ない年となつた。

　年初に予定した出版計画を大巾に下まわつた原因は、いろいろあるが、端的にいつて困難なことの連続で、そこまで手が届かなかつたというのが実状であつたといえよう。しかし、所の財政的、普及啓蒙という面からいうと、深刻な問題で、新年度にはそれへの改善に極力努力しなければならない。

3. 事　　業

　研究生の募集、朝鮮語講習会、火曜講座など研究者の養成と普及をかね一定の財政的収入をも期待し、実施した。（具体的には講座部会の報告参照）実際に赤字を出した講座はなかつたが、講師に交通費さえ負担させて、それでなお大きな収入の助けとならなかつたとは、条件はあるのだが、宣伝の仕方に問題があり、条件を生かしきることができなかつたといえる。

—12—

94　第7回

１９６８年度　活　動　方　針（案）

情　勢　の　把　握

　日朝関係は、日韓条約実施３年目に入り、昨年暮れの日米共同声明に照応する益々危険な方向へと進みつつある。政策推進にあたり、明治百年などをテコに、国民への思想攻撃は複雑多様な形をとり一段と強まることが予見される。なかでも、他民族支配、民族排外主義、軍国主義等々を推進する場を朝鮮問題により多く求めてくることは、歴史の教訓と現実の動向から容易にそれが指摘できる。

　これに対する日本人民をはじめ、アジア諸国人民の斗いは、複雑な形態をとりつつ、進行している。とりわけ日本の朝鮮問題への対応の仕方は、日増に否定的要素を強め、楽観できない傾向を示している。従つて、わが研究所に課せられた任務は非常に重いものがあるといえよう。

　なされねばならぬことは多いが、侵略を阻みえなかつた歴史の教訓と現に進行しつつある支配と人民の動向を勘案したとき、日本と朝鮮の「人民の連帯強化」に役だつ「理論創造と啓蒙活動」が今年度の中心的課題であると判断す。

　従つて、所内研究・編集・講座などもこれを軸として展開して行きたい。

総　務　活　動　方　針（案）

　日朝関係をめぐる諸情勢と研究所の実状（研究の蓄積と財政の強化など）から、運営委員会の団結が一層重要となつてきている。

　今年度も、前年同様研究所が守り続けてきた運営の原則である。

一、(イ)　日本人の手により、日本人の立場での朝鮮研究を目的とする。(ロ)　朝鮮研究者を広く結集し、朝鮮に関する諸般の研究を行い、その成果をひろめ、朝鮮研究の水準向上に資することによつて日朝友好に寄与する。

二、いうまでもないことであるが、研究所は、政党と異なり考え方の違う人達によつて構成されている。思想、世界観、生き方の相違を理由に排除や干渉を許してはならない。

　以上二つの原則をふまえ研究所の団結と発展を図る、ことを再確認し、運営委員会や研究会などで、お互いの考えを積極的に発表、討論、意欲的な問題提起を行い、研究の向上と運営の円滑を図りたい。

－13－

複雑、困難ななかで所の発展を図ることは、所詮、運営委員会の結集いかんにかかつているこ
とは、昨年の例がよくそれを示している。基本的には、各運営委員が、もつとも得意とする分野
で、しかも協力しやすい執行体制を確立するということにある。しかし、いかに緻密な計画や、
執行体制を作つてみても、それが実行されなければ問題の解決とはなりえない。「考えることも
大切だが、困難の解決は実行にある」この姿勢を運営委員会の基本にすえ、求められる情勢に答
えて行きたい。

　具体的には

(イ)　各部会の指導の強化　(ロ)　他団体との提携・交流の促進　(ハ)　運営委員会での情勢の掌把
(ニ)　所の活動状況や財政状態の所員への周知テッテイ　(ホ)　昨年に引続き、所独力で研究者の養
成をより系統的に行う　(ヘ)　研究成果を出版し、普及、財政の双方に役だてる。

機 関 誌 活 動 方 針 (案)

1.　まえがきの基本方針にもとづき、今年度の編集の柱は「日朝両国人民の連帯」を軸に行なう。
　支配階級の意図を総合的にバクロして行くことはいうまでもないが、とくに力を注ぐものとし
　て、朝鮮人民の動向・分析と日本人民、とりわけ労働者への接近（動向・分析）を行なう。
　一方、日本人民が、なにゆえ朝鮮問題を研究し、大衆運動として展開しなければならないのか
　を系統的に追及、宣伝して行く。

2.　前年度と同じく、雑誌は、研究と運動に寄与するという基本方針で編集を行なう。

3.　具体的には

(イ)　積極的な問題提起と討論を誌上に反映して行く。

(ロ)　年初にテーマと執筆予定者を決定、特集形式をとる。連載物は、基本的に前年度のものを
　　　継続発展させる。所内外に執筆者の開拓を積極的に行なう。

(ハ)　火曜講座での講演を積極的に誌上に反映させる。その他。

研 究 活 動 方 針 (案)

1.　日本における朝鮮研究全体をみると、歴史部門では朝鮮史研究会がすでに百回を越える例会
　活動と5回にわたる全国大会を行つている。したがつて、朝研は歴史部門の活動を行いながら
　も主たる力点を現代に置き、研究活動、資料収集に全力をあげる。従来通り南北朝鮮の現状分

析からその社会の構造的把握、在日朝鮮人問題に対する研究を行うと同時に、より一層の重点
をおいて、なぜ日本人が朝鮮問題にとり組まねばならぬのか。日本の変革の中における朝鮮問
題の理論化に努力を傾注する。

2. 以上の諸問題を67年度のように総花的に個々の独立した研究会にするには、まだ主体的条
件が充分ではないから、それらを全所員研の中で行い、毎月1回定例化して、必ず実行する。
勿論特に関心の深い所員が自発的に研究会を作る事は一向にさまたげない。又所外からも積極
的に講師を呼び、所員の研究に資する。

3. 「朝鮮研究」と全所員研との有機的関連を一層深め、より充実した論文が機関誌上に掲載さ
れるよう努力する。

4. ここ2年来、朝鮮史の体系化が叫ばれ、多くの試みがなされているが「朝鮮文化史」を出版
した朝研としては、「文化史」から、日本人研究者が何を学び、いかなる批判をもっているか
を系統的に検討し、朝鮮史の体系化への一助となるように努力する。

講 座 部 会 活 動 方 針 （案）

1. 研 究 生

研究者養成という点で、最も重視しなければならないものの一つである。従来は、年1回の
募集であったが、体制を作り、年2回程度の募集を計画したい。1年間の勉強で研究者になる
ということにはなり難いので、2年生を制度化する。

2. 火 曜 講 座

今年も引続き、月2回実施して行く。中心テーマは「日朝両国人民の連帯」におき多方面か
らアプローチして行く。具体的には講師の問題であるが、年初にリストを作り、あらかじめ年
間計画を立案する。昨年同様、所外からの講師も積極的に要請参加してもらう。

3. 朝 鮮 語 講 座

従来、講師の問題がスムースに行かず苦労してきたが、早急に講師集団（翻訳集団）を結成
組織的な見通しをもってから、各級の生徒の募集を行なう。

4. テ ー マ 別 講 座

—15—

Ⅲ　定期総会資料　97

現在、旗田巍所員の「朝鮮人の日本人観」が週/回全/０回ですでに進行しているが、引続き「朝鮮戦争」「民族教育論」「現代朝鮮論」等々を行つてゆく。

　以上いずれも、講師は内定しているが、募集さえゆきわたれば、かなりの参加者が期待できる条件があるとみられる。従つて、宣伝に工夫を払う必要があろう。

財政・出版・事業活動方針（案）

1.　財政方針（別紙予算案に添付）［省略］

2.　出版計画・事業活動（案）

　『金玉均の研究』『朝鮮語テキスト』『朝鮮研究蓄積のシンポジューム』

　『朝鮮の国際路線』(No.2)その他

『金玉均の研究』は、既に再校段階であり、『テキスト』は整稿中、『蓄積のシンポジューム』は、機関誌に掲載されたものを整理し、単行本にするというもので、いずれも比較的容易にできるものばかりである。ほかに啓蒙的なものとして、日本人であるわれわれが、なぜ朝鮮問題を研究し、取上げなければならないのかを内容とする出版物の発行を考える。その他資料集、機関誌に連載中のものをまとめることなどを考えて行く。

　ここ数年の経験から、出版物を製作することもさることながら、販売が至難なことであるということがわかつた。販売対策については、相当緻密な計画が必要である。取次店にのらない以上原則的には、自力での販売をたてまえとした出版財政計画が必要であるが、具体的には所員の協力によつて解決して行くことである。

−16−

参考資料

―1967年度役員名簿―

森下、木元、宮田、吉岡の各選考委員は1時間近くの時間を費し、慎重に選考の結果、次の役員が、森下選考委員長より推選された。

理　事　長	古屋貞雄	副理事長　四方　博、石野久男		
理　　　事	武藤守一	木元賢輔	大溝正昭	岡　謙四郎
	白井博久	森　一則	秋元秀雄	藤島宇内
	佐藤勝巳	渡部　学	森下文一郎	畑田重夫
	寺尾五郎	守屋典郎	宮田節子	旗田　巍
	桜井　清	中野礼三	奥　保男	東上高志
	井上秀雄	梶井　渉	梶村秀樹	大村益夫
	小沢有作	大槻　健	三宅鹿之助	田村専之助

（順序不同）以上28名

会計監査	相川理一郎			
運営委員	小沢有作	藤島宇内	梶村秀樹	渡部　学
	奥村皓一	畑田重夫		桜井　浩
	木元賢輔	吉岡吉典	楠原利治	梶井　渉
	武藤守一	大槻　健	宮田節子	佐藤勝巳
	樋口雄一	森下文一郎		

（順序不同）以上18名

運営委員オブザーバー

　　　　比嘉後爾、井上　学、鎌田　隆

―17―

規　　　　約

第 1 章　総　　則

第 1 条　本研究所は、日本朝鮮研究所といい、事務所を東京都におく。

第 2 条　1.本研究所は、朝鮮に関する各分野の研究者によつて構成される民間研究機関である。

　　　　2.理事会の議決を経て、必要の地に支所をおくことができる。

第 2 章　目 的 と 事 業

第 3 条　1.本研究所は、日本人の手による日本人の立場での朝鮮研究を目的とする。

　　　　2.本研究所は、朝鮮研究者を広く結集し、朝鮮に関する諸般の研究を行ない、その成果をひろめ、朝鮮研究の水準向上に資することによつて日朝友好に寄与する。

第 4 条　本研究所は、その目的（第3条）を遂行するため、下記の事業を行なう。

① 朝鮮に関する総合的研究

② 各種の研究会の開催

③ 各種の講演、講座、講習会の開催

④ 定期刊行物の発行

⑤ 各種単行本、研究紀要、年鑑、便覧類の発行

⑥ 関係資料の蒐集

⑦ 関係研究機関との交流

⑧ 各種委託調査、委託翻訳の実施

⑨ 研究生及び研究者の養成と在外研究への便宜供与

⑩ その他必要なる事業

第 3 章　構　　成

第 5 条　本研究所の構成種別は次の通りとする

1.所員　本研究所の目的に賛同し、所費年額金3,600円を納め、目的達成のため一定の義務を負つて参加する者

2.準所員　本研究所の目的に賛同し、準所員費年額2,400円を納め所内研究会に出席し、その他、研究上の諸権利をうることができる。

3.賛助所員　本研究所の目的事業を賛助し、会費年額金12,000円以上を納める
もの

4.顧問　本研究所の活動の大綱について助言し、必要なる指導と援助を与える。

才　6　条　1.所員になろうとするものは、所員2名の推せんを必要とする。

2.準所員になろうとするものは研究所の研究生を終了したもので、講師の推せんす
るものに限る

才　7　条　賛助所員になろうとするものは、別に定める規定により入会申込みをする。

才　4　章　役　　員

才　8　条　本研究所には次の役員をおき、総会において選任する。

1.　理　事　　若干名

2.　運営委員　若干名

3.　会計監査　　2名

才　9　条　理事のうち、理事長1名、副理事長若干名、会計監査2名を総会において選任する。

才10条　1.理事長とは本研究所を代表する。

2.副理事長は理事長を補佐し、事故あるときはその職務を代理する。

3.運営委員は常時研究活動を掌握し業務の執行、いっさい所の経営総括にあたる。

4.会計監査は会計を監査する。

才11条　役員の任期は一年とする。再任は妨げない。

才　5　章　会　　議

才12条　1.総会は、全構成員をもつて年1回ひらき、研究上、経営上の前年度決算計画を総
括確認し、次年度計画を審議決定し、予算、人事をきめる。

2.総会は理事長が招集する。

3.総会に於ける議決権は全構成員によつて平等に行使される。

4.総会の議決は出席の過半数の賛否を要す。

才13条　1.理事会は、理事長、副理事長、理事によつて構成する。

2.理事会は年2回以上開く。

才14条　1.理事会は総会に次ぐ決議機関で所の運営に必要な基本方針を定める。

2.運営委員会は、総会、理事会の決定にしたがつて、日常業務の執行に当る。

Ⅲ　定期総会資料　101

第 6 章　事務局および職員

第15条　1.本研究所に事務局を置く。

2.事務局は常勤所員によつて構成される。

3.事務長は理事のなかから選任し理事会の承認をうける。

4.事務局には職員をおく。職員は運営委員会の審議を経て理事長が任命する。

第 7 章　賛　助　会

第16条　1.研究所の目的と事業に賛同し、援助する法人、団体、個人によつて構成する。

2.賛助会の運営等については別に定める。

第 8 章　会　　計

第17条　1.本研究所の財政は、所費、賛助所費、賛助会費、寄付金、事業収入等をもつてあてる。

2.本研究所の会計年度は毎年1月1日よりはじまり、同年12月31日に終る。

第 9 章　付　　則

第18条　この所則は、総会の議決を経て改廃することができる。

第19条　この所則は、1967年2月2日より発効する。

以　上

日本　朝　鮮　研　究　所
千代田区神田淡路町2の1
TEL(253)7503

^{日本}朝鮮研究所第8回定期総会資料

とき　1969年2月23日　12時30分

ところ　本郷学士会館（東大赤門脇）

目　　　次

1968年度　総　　活

1．総務活動報告	………………………………………………	2
2．機関誌活動報告	………………………………………	8
3．研究活動報告	…………………………………………	8
4．講座部会活動報告	……………………………………	10
5．財政．出版．事業活動報告	………………………	12

1969年度　活動方針案

1．総務活動方針案	…………………………………………	16
2．機関誌活動方針案	………………………………………	17
3．研究活動方針案	…………………………………………	17
4．講座部会活動方針案	……………………………………	18
5．財政・出版・事業活動方針案	………………………	18
6．資料　1968年度役員名簿	…………………………	21
7．〃　　1968年度　規　約	…………………………	22

Ⅲ　定期総会資料　107

１９６８年度総括

総務活動報告

　オ7回総会（昨年）は、1年間の見通しを「日韓条約」発効3年目を迎え「侵略を阻みえなかった歴史の教訓と現に進行しつつある支配と人民の動向を勘案したとき、日本と朝鮮の〝人民の連帯強化〟に役だつ〝理論創造と啓蒙活動〟が今年度の中心課題であると判断する。従つて、所内研究・編集・講座などもこれを軸として展開して行きたい」との方針を決めた。

　この方針にそくし、一年間の活動を振りかえつてみたとき、方針がほぼ実行されたといえる。勿論いくつかの不充分さがあり、その効果という点では、人により立場によつて、必ずしも一致しないところがあるかも知れない。しかし、かつてなく、機関誌に多くの意見や感想、助言、批判がよせられ、かつ増誌をみた。そして、機関誌は、創刊以来初めて、印刷費に赤字を出さないで済むようになつた。従つて、新年度からは、通常会計に負担をかけず、増誌分は、若干なりと財政にプラスになるという見通しがたつこととなつた。

　新宿時代に比較し、総べてが縮少されたにもかかわらず、それが可能になつたことは、全体の結集の質と量が高まつたということにほかならない。事実、2年余を費やして実施してきた研究生制度は、着実に成果をあげ定着化したし、それが肯定的な刺激となり、長年なしえなかつた所内研究会が、ようやく軌道に乗り出してきた。新年度からは、所内研究会の成果を基礎に、機関誌の編集が基本的に可能になり、かつ論文の内容（研究）も個人から集団に移行するという質的な変化の手懸りをつかむことができた。

　反面、国内外の錯綜した諸動向が所内にも一定の影響を与え、なにもかも、スムースにことが運んでいるわけでもないし、後述のような、思想的な弱点も現にある。しかし、多くの弱点や財政的困難をもちながらも、今期築かれた肯定的な芽が、そのまま成長するなら、大衆的基盤に支えられた名実共に「日本人の手により、日本人の立場での朝鮮研究」が実現できるという明るい展望が開けつつあることは、今期最大の成果であつたといえよう。

　　　　　△　　　　　　　△　　　　　　　△　　　　　　　△

前年度の方針は、研究上の主体的立場と大衆団体の運営上の原則を再確認し「運営委員会や研究会などで、お互の考えを積極的に発表、討論、意欲的な問題提起を行い、研究の向上と運営の円滑を図る。複雑困難ななかで所の発展を図ることは、所詮、運営委員会の結集いかんにかかつている」との運営上の基本的態度を決定した。

　とりわけ、決定や企画の執行に当つては、「いかに緻密な計画や、執行体制を作つてみても、実行されなければ、問題の解決となりえない。"考えることも大切だが、困難の解決は実行にある"この姿勢を運営委員会の基本にすえる」ことも合せ、これを方針として確認し、新運営委員会は発足した。この方針を念頭に置き、１９６８年度の総務総括を行う。

　/.　運営委員会

　運営委員会は、月２回の定例で、この期間１８回あつたことになる。実績は、１回中止、２回流会で、会議は１５回もたれた。

　運営委員の総数は１９名であるが、関西在住の３名は、事実上出席がむつかしいので、委員の出席パーセントをとる場合一応除外し、在京運営委員１６名に即くしてみると、１５回の運営委員会に延べ１１０名の出席で、平均１回７．３人、４５％強となる。

在京運営委員中、１回も出席できなかつた人は、４名。１回〜３回の出席は、２名となつている。

　昨年の３０％弱に比較し、やや好転してきたといえる。が、以然出席運営委員の固定化は続いている。出席回数の少ない運営委員は、いずれも、定例運営委員会と職業上の会議が重複したり、職務多忙などによるものが多かつた。しかし、関西在住の委員及びこれらの委員は、出席できなくとも、常に、運営に関心を払い、協力をよせていた。従つて、出席率だけで、結集の可否を測ることができないことはいうまでもない。

　以上のことから、今期運営委員会を次のようにまとめることができる。

　(1)　運営委員の運営に直接参加という点では、前年度に比較し、１５％余の改善がみられた。

　(2)　８月に提起された「財政危機」にともなう「縮少案」の討議にみられるように、異なる評価や意見を、大衆団体の運営の原則にのつとつて処理を行つた。この討議が契機となり、かつてない機関誌読者や賛助会員の増加、所内研究会の活発化などとなつてあらわれてきたことは、大きな成果であつた。

　(3)　しかし、運営委員会の出席の固定化は、運営委員会の意志の疎通という面で、必ずしも充分なものであつたとはいえなかつた。そこから、機関誌の内容やその他の諸決定に異論や不満があつても、発言し難いという傾向が生れていたことは否定できなかつた。また、常に運営に参

加している委員は、出席数の少ない運営委員に、財政上の責任をはじめ、諸決定の実践を依頼することに遠慮しがちの傾向が発生するなど運営参加の固定化は、民主的な運営、「結集の強化」という点で、のぞましいものではない。

2. 執 行 状 況

運営委員会は、次の4つの委員会を作り、責任者を決め、各々運営委員が所属し、具体的な執行を図つた。

①編集委員会—渡部、代理 梶村—（以下氏名は責任者）。②研究委員会—畑田—。③講座委員会—宮田—。④財政・事業委員会—渡部・樋口（事業）—であつた。

実績は、編集委員会は、毎月1回づつ開かれてきた。財政・事業委員会は、数回会議がもたれた。研究・講座両委員会は、1回づつ会議をもち、計画の立案を行つたが、その後部会の会議がもたれなかつた。

各部会の総括にあらわれているように、講座委員会担当の「火曜講座」が再開されないで終つている。また、研究委員会担当の「全所員研究会」も2回行い、中断した。但し、所内研究会は後半で活発に活動しだしたが、それは、後述の「縮少案」討議に関連し、才18回運営委員会（10／9）の決定によるものであつた。

以上のことから、現象的には、委員会の会議のもたれたところとは、より仕事をし、そうでないところは、不充分であつた。それの原因と問題点は次のように整理できる。

①　運営委員会及び事務局が、最も重視した（せざるをえなかつた）のが、編集と財政問題であつた。

②　前記2つのことに、運営委員会、とりわけ事務局が取組むことに精一杯で、他の委員会に充分手がおよばなかつたという事実である。

③　この種の委員会は、他の団体においては、事務局が実務や推進を図るのが普通であるが、研究所は、絶対的人手不足で、それの可能性は、現実に乏しい。　だが、できないから仕方がないでは済まされないことが「縮少案」討議の際、再確認された。そういう点では、類似の研究団体にくらべ、研究所役員はきびしい条件が課せられている。従つて、より高い思想性が要求されているということであろう。

3. 財政的困難にともなう「縮少案」について

才14回（8／13）、才15回、才16回の運営委員会は、財務委員会より提案された。財政

—4—

的見地から研究所の「縮少案」が検討された。結論は、「現状維持、赤字克服の努力を総会まで行い、実践の結果をみて、結論を出す」というものであつた。従つて、「縮少」「現状維持」（自からも金をだし、雑誌賛助会などをふやすという前提）の2つの考えは、当時の論議のなかで、基本的な意見の一致をみたわけではなかつた。しかし、さきの決定に従い、月づき7万余の赤字を克服するため、次のことが計画、実行された。

① 機関誌10月号に〝訴え〟を発表する。

② 当面の財政危機解決のカンパを所員を中心に集める。

③ 運営委員は、月1人3千円相当の金額（自己カンパでも、賛助会や固定読者の増加等）を自分の責任で負担する。運営委員会全体の責任で5万円の増収を図る。

④ 賛助会の募集を行う。

⑤ 機関誌を年末まで400部の固定読者をふやす。

⑥ 機関誌をふやすために、関係誌に交換広告をとる。

⑦ 寄贈、交換などを有料購読に切かえる。

⑧ 関係団体の名簿などをもとに購読のすすめと見本誌を発送する。

⑨ 研究の再組織のため所員に「アンケート」をとる。

以上の計画に対し、約4ヶ月間の実績は、

①への反応は、読者から圧倒的に多く、とりわけ、研究所に直接結びつきのある研究生などから、積極的な意見と具体的な行動の提案がなされてきた。それに比較し、所員からの反応は少なかつた。

② 危機打開のカンパは、副理事長1名、7名の運営委員、1名の準所員、2名の読者から、合計103,000円集つた。

③ 月づき3,500～2,000円のカンパ及び読者や賛助会をふやした運営委員は、小沢、宮田、村松、梶村、梶井、樋口、畑田、井上学、井上秀雄、鎌田、大槻、佐藤の12名（賛助会費読者増は除き、カンパ金額だけで約2万円）であつた。

④ の賛助会は13名、12,500円。

⑤ 機関誌は、400部の目標の4分の1強の135部の増加であつた。金額にして27,000円となる。

⑥ の交換公告は、まつたく実行されなかつた。

⑦は、大巾に整理し、10余部有料購読者に切りかえた。

⑧ 購読のすすめと見本誌を400余名に出した。

⑨　アンケートの回収は全所員中９名であつた。

評　　価

①　月づき７万円余の赤字は、書籍の売上げなどによつて多少の増減はあるが、この期間の増収は約６万円、目標の９０％近くにたつした。従来の実績からみて画期的な成果といえる。

②　この度の討論と実践を通じ、朝鮮研究者に課せられている社会的責任の自覚が深まつた。一方、長期にわたり、開店休業状態の所内研究会が、編集、財政と合わせ３本の柱の１本として位置づけられ、早速、研究会が再組織され、活発な活動を開始したことが、今一つの成果として上げられる。この所内研究会でも、若い所員や研究生が中心になつて活躍していることが特徴である。

③　この度の"訴え"を通じ判明したことは、多くの読者が研究所の発展に期待をよせているということであつた。それは、振替用紙の通信欄などを利用し、引続き、定期購読者の紹介（住所・氏名）や雑誌に対する意見などが、後をたたず寄せられてきていることである。

その量・質ともに、かつてなく多く高いもので、これは、編集の努力と相まつて思い切つて、研究所の実状を所の内外に"訴え"たことが、前記のような肯定的な結果を生んだということであろう。また、このことから、これからの研究所と研究所が依拠する人たちとのあるべき関係を示唆するもので、今年度の貴重な教訓の一つであつた。

④　しかし、これで財政的な危機が基本的に解決したわけではなく、前記の実績をふまえ、なお、次のような条件が、至急満されなければ、現状維持が困難である。例えば、早急に機関誌の有料購読者を２００名増加する。

資料集を早急に三点ぐらい製作する。出版社から何点か出版する。そのための体制づくり等を実現しなければならないということであるが、このことについて依然、消極的な考えがないわけではない。

運営委員会活動の評価

①　研究生制度を設け、丸２年が経過、３年目に入つた。具体的な研究成果は、昨年の機関誌１１月号にみられる通りである。また、１０月号の"訴え"に物心両面にわたり、最も積極的な協力を示したのも、研究生であつた。このように研究所にとつて研究生の占める位置は、きわめて大きいものがある。一方、研究生とは別に、金嬉老事件の特集号を契機に、在日朝鮮人問題に関心をもつ個人、サークルなどと新たな結びつきが生れ、それらの読者を通じ、機関誌が急速に

普及されて行つた。この１年、たんなる研究生、読者というのではなく、研究所の発展に積極的に協力してくれる人びとを新らたに、十数名得たことは、大きな成果といえる。

② 昨年は、自主財源の確保といつても、「朝鮮文化史」の売上に負うところが大きかつた。今年度は、名実共に自主財源での運営であつた。決算書のカンパの項が例年になく高額（在日朝鮮人からは、１銭ももらつていない）ではあるが、前記報告のように、多くの運営委員が、他人にカンパのお願いする前に、まず自分たちで、毎月数千円の金額を出費し、研究所を支え、機関誌を出し続けてきた。これは、その金額もさることながら、従来の運営姿勢とは、質的に異なるもので、この姿勢が、内外に反映、展望の基礎を開きつつあるといえよう。

③ 次は、別項報告のように、「縮少案」討議を契機に、研究生及び、若い所員が中心になり、所内研究会の再編成が行なわれ、活動が活発化してきたことである。長年やろうとして、なしえなかつたことだけに、明るい将来が期待される。

④ 機関誌の内容の向上と読者拡大の目的意識的な努力と相まつて、年間、２百数十部の固定読者をふやすことができたことは、大きな成果であつたといえる。

⑤ この期間、朝鮮史研究会との交流が一段と促進された。

⑥ 機関誌３月号、１２月号の２つのシンポジウムに、読者よりきびしい批判が寄せられてきた。３月号については、事前に手の打ちようはなかつたが、批判がよせられた後で、運営委員会内部で、討議がなされず、事実上批判に充分答えるという姿勢が欠けていた。
１２月号の「特殊部落」云々の個所は、雑誌製作上の過程で、当然チエツクできる余裕があつたもので、たんに発言者の責任だけではなく、編集部の思想も合わせ問われるべきものである。
１２月号については、運営委員会で討議をし、対策や克服のあり方は検討されたが、問題の指摘や批判は、所内からは少なく、多くは、読者からのものであつた。運営委員会でも、機関誌の内容に関心を払い、検討するという態度が欠けていたことは否定し難い。この姿勢は、常に、日本人にとつての朝鮮問題が、なにかを問うきびしい態度の欠除の現われにほかならないし、一方、それは、読者に対する責任ある態度ということにならなくなつている。目的意識的に克服しなければならないものである。

⑦ 既成の所員の結集は、依然進まず、２年間にわたり所費を払わない所員が１０名近くおり整理のやむなきに至つた。

⑧ 前年度に引続き、運動団体との提携・交流は、依然改善されなかつた。

１９６９年度は、一言でまとめるなら、依然、困難な年であつたが、総じて、自力で発展できる手懸をつかむことができた年であつたといえる。

Ⅲ 定期総会資料 113

機 関 誌 活 動 報 告

1967年度活動方針の「日朝両国人民の連帯」を編集の柱とすることにそつて編集してきた（4、8月）。日本人のたちばから連帯を追求するために重要な問題を投げかけた「金嬉老事件」・戦後、日本国家の在日朝鮮人に対する政策について問題提起を行うことができたと思う（5、68月）。

さらに、今後「日本人民が、なにゆえ朝鮮問題を研究し、大衆運動として展開しなければならないのかを系統的に追求し、宣伝して行く」たちばから、多様な角度からの問題への接近が必要であろう。

日本の思想状況等について一応の取組みができたのに対比して、朝鮮人民（南北）の動向・分析は弱かつたことは否めない。ユニークな専門誌としてその面にも責任をもつて取組まねばならない。

「日本人民、とりわけ労働者への接近」のために「組合めぐり」を企画したが充分な成果があつたとはいえない。もつと芽一線の声を反映することと同時に、編集方針として上述の問題とも関連して、階級的視点を徹底させること、また労働者の切実な関心事であるはずの反戦・平和の課題と関連する朝鮮の現状を分析・紹介するという形で上記の方針を生かす必要がある。

いわゆる朝鮮専門家でない人々の積極的な問題提起を引出すことにはたえず気を配つてき、ある程度成果があつた。研究生の論文集（11月号）ができたことを特筆しておきたい。

問題点ー西川宏氏の批判にみられる考古学シンポジウムの視角、12月号座談会での部落問題に関連する発言等々があつた。

ともかく合併号を出さずに毎月初旬発行を維持してきた。

研 究 活 動 報 告

ここ数年間、研究会の総括は、反省に終始してきたが、8月の財政「危機」の討論を経て、ようやく活発な活動をはじめたことは、大きな成果といえる。研究状況は次の通りである。

（1）全所員研究会

4月、「武装ゲリラ」（奥村晧一）。5月、「民族教育」（小沢有作・佐藤勝巳）以上2回をもつて中断された。

(2) １９３０年代研究会（7名）

　１０月、「１２月テーゼと朝鮮共産党」、１１月、「コミンテル第6回大会前後の中国共産党について」　１２月、「３０年代前半期の朝鮮労働運動について」

(3) 南朝鮮研究会（5名）

　本研究会は６８年１１月に発足、毎月１回の研究会を行つている。当面、「現代南朝鮮史の諸問題」及び「現状分析」の２本の柱にそつて研究を行うが、研究会に併行して、南朝鮮の「労働運動」の資料集の作製も行つてる。

　１１月は、１９４５～４６年、１２月は、１９４７年～５０年までの南朝鮮現代史の問題点を討論した。報告は、２回ともコンデの『解放朝鮮の歴史』上下を使つて、井上学所員が行つた。

(4) 在日朝鮮人研究会（5名）

　１１月、１２月、２回の打合せ会をもち、研究会の目的と意義を検討した。１月から、具体的な研究に入つている。

(5) 文　学　研

　１９６７年度の文学部会は、どちらかといえば特別な方向をもたないままの、研究活動におわつてしまつた。というのは、参加者の目的意識がかならずしも、一致していなかつたからだと考えられる。

　ある時は、在日朝鮮人の文学活動をテーマにし、またあるときは、南北朝鮮の現代文学をとりあげ、さらには古典文学を学習する―といつたような調子で、それはそれなりの学習という面での効果がなかつたとは言いきれないが結果的には、やはり行きあたりばつたりという活動になつてしまつていた。

　昨年度はこうした欠陥を克服するために、とくに研究の焦点を朝鮮の現代文学にしぼつて、その中心に現代文学史をおいて進めた。

　固定化した参加者は５名だが、一昨年とちがう点は、全員が共通の原典をもち、その原書について分担した部分の研究を報告しあい、さらにその中に出てくる具体的な作品や作家について研究を深めるという進め方である。

　しかし、この進め方も昨年の秋ごろから問題になつた。その理由は、なによりも、わたしたち

－9－

Ⅲ　定期総会資料　115

日本人の研究者に不足しがちな、翻訳力の不足を、あわせて解消していくべきだということであつた。

そこで現在では、文学史そのものの研究と並行して、文芸雑誌の中から話題にできそうな作品を共通の学習材料としてよみこなし、それと同時に訳語についての研究なども行なつている。

１ヶ月１回、だいたい才三日曜日の午后を使い、会場は会員の家をまわりもちというかたちで行つているが、昨年度の実績は８回であつた。本年度はいつそう精力的に研究を進めていきたい

(6) 『なぜ朝鮮を研究しなければならぬか』研究会（4名）

「日朝友好運動の歴史と問題点」「民族責任について」「アジア主義と戦争責任」など５回行なつた。

講 座 部 会 活 動 報 告

/. 研 究 生

研究生制度を設けてから、今年で才３回目の研究生募集を行つた。約３年にわたる研究生活動をふり返つてみて、この制度は所の諸活動の中で、最も成功したものの一つとして高く評価し得よう。中学・高校において朝鮮史も、単なる侵略の対象として描かれ、あるいは無視され、大学では朝鮮近、現代史の講座がない情況の中で、所員が講師となり、研究生を募集し、その中から多くの研究生が研究者、活動家に成長して行つている。

当初才１回生が１年間研究生としてのコースを終了した後、どのように朝鮮への関心をもちつづけ、あるいは所に定着するかどうか、多少の懸念もあつたが、しかし才１回生の有志（ 6 名）は梶村所員を中心に、研究活動をつづけ、その成果は機関誌１１月号となつて結実している。才２回生も、現在１０数名の人が、２年生に残り、活発な研究活動を続けている。

このように研究生は単に研究の側面から所に新風をふきこんでいるのみならず、たえず所の運営や、機関誌の内容にも敏感に積極的な反応を示し、その一部の人々は所員になつている。８月の財政危機の時も、研究生の多くはその問題を真剣にうけとめ、精神的に物質的に協力してくれた。

このように研究生は所にとつて、かけがえのない存在であり、所の依拠すべき重要な基ばんである。にもかかわらず所全体として研究生に対するとり組みが十分であるとはいえない。才１回

—10—

生募集の時は、3コースの講座が設けられたが、才2回生からは、所の力不足から1コースしか講座を設ける事がたかつた。又、研究生活動は主として講師になつた所員と事務局員の手にのみゆだねられている点など、早急に解決しなければならない問題をもつている。

(1) 3回生（1年生）

1968年11月より、13名で発足、宮田節子所員の担当で、月1回、朝鮮近代史が続けられている。

(2) 2回生

1967年から引きつがれ、翌68年の10月までの1年間月1回・宮田節子・梶村秀樹、その他の所員が、朝鮮近・現代史、及び日朝連帯を講義した。

68年11月から、希望者10数名が、2年生となつて、引続き研究を続けることとなつた。定例は、月2回、うち1回は、機関誌の時評を中心に、1回は、近代史を中心に行うことになつた。所員の担当は、時評、時事的なものが、佐藤勝巳、歴史が、梶村秀樹の両所員。

12月は時評、「日本人民の責任」と歴史は「日本帝国主義下の朝鮮農業」（報告者岩川）を行つた。

(3) 一回生

1967年8月より、希望者9名で発足した。2年生は、68年中、次のテーマで研究会を行つた。

1月、「1928年〜33年における日朝人民の連帯について」（報告者松田博）。2月、「1930年代の経済状態」ーとくに朝鮮、満洲を中心としてー（梶村秀樹）3月、「教育労働組合準備会事件」ー上甲米太郎と新興教育ー（欄木寿男）。4月、「在日朝鮮人運動の沿革」（鈴木秀子）。5月、「朝鮮民主主義人民共和国成立の基礎」（由井鈴枝）。6月、「李光洙における文学と思想」（石川節）。7月、「朝鮮に於ける日本帝国主義のファシズム運動」（欄木寿男）。8月、「1年間の総括」以上をもつて、2年生を終り、9月以降は、ほぼ同人数で「1930年代研究会」として、所内研究会に移行した。

2. 朝鮮語講座

春期、朝鮮語講座は、上甲米太郎氏を講師に招き初級を実施した。引続き、梶井所員の担当で中級を行つたが、秋期講座は、講師が都合つかず、中止のやむなきに至つた。

—11—

Ⅲ　定期総会資料　117

3. 火 曜 講 座

　昨年度初に、火曜講座担当者が集まり、3ヶ月先までの講演者及び演題（予定）を企画した。講演者の承認を得ることが出来ぬまま、結果的に中止という事態になってしまった。

　火曜講座は、相当の労力を必要とする。

　今年度については、「講座」の持ち方に一考を要する。

4. テーマ別講座

　「朝鮮人の日本観」（旗田巍）を連続10回、参加者13名。「朝鮮戦争」（畑田重夫）連続5回、参加者10名。「民族教育」（小沢有作）参加者8名、連続5回。の3回を行った。3回の参加延人員31名、うち重複者は数名であり、このなかから一部研究生になった人がでている。

財　務　総　括

　朝研は創立以来たえず財政危機に直面して来たが、特に68年の8月危機は深刻であった。それは朝研の慢性的赤字を克服するために企画した「金玉均の研究」が予想通りに売れず、その印刷代等の支払にせまられて、一挙に表面化した。財務委員会では、今のままの財政状態がつづくなら近い将来、機関誌の発行が不可能になり、所の存立そのものが危くなり、単に財務委員が処理出来ないと判断して、その問題を運営委員会に提起した。運営委員会では、この問題を三度にわたって討議した。委員の大多数は、所が毎月数万円の赤字を出しているとはいえ、それは、創立当初からみれば、大巾に減少しているし、機関誌の発行部数も拡大しつづけている。研究生や読者のなかから、新しい所員、活動家が誕生した事、さらに現在の日朝関係からみて、所の存立の意義が一層重大になっている時なので、どんな事をしても所を存立せねばならない事を確認しあった。又縮少意見もでたが、現在の規模は研究所が研究所としての機能と責任をはたすためには、これ以上の縮少は出来ないとの結論に達した。そして所を存立させるために、応急対策としては1万円カンパを行い、機関誌10月号に所の財政情況を卒直に読者に訴える。又、運営委員は1人当月3千円に相当する金額を自已カンパが機関誌を拡大する等の方法で負担する等を決定実行した。

　この8月、危機は単に財政問題にとどまらず、自分にとって朝鮮とはなにかを問いかける事にもなり、所内研究会が活発になる一つの契機となった。又多くの読者や研究生の中から朝研を守

り抜こうとする人々が表われ、朝研を支えてくれた。

しかし、そのような努力にもかかわらず、財政危機が完全に克服されたわけではない。依然として収支のバランスは赤字である。

　以下、具体的に６８年度の財政を６７年度と比較して検討する。

　①　所費は、６７年度は約３１万４千円であったが、本年度は１９万８千円にすぎなかった。それは６７年度は、６６年度分とあわせて、事務局が必死に集金したからでもあるが、しかし、本年度の所費の納入は余りよくない。特に８月危機が叫ばれ、１０月号に「訴え」も出し、一部の所員が毎月２千円、３千円の定期カンパをつゝけている事実を考えると所費１００％納入に一層努力しなければならない。

　②　賛助会は、６７年度は約６７万７千円で、６８年度は４２万円である。これは、６７年度は所費と同様２年分の賛助会費を集めたからであり、６８年度の予算ではその点を考慮して、２５万円に押えたが、予算を上廻る集金率である。事務局の努力のたまものである。

　③　カンパは６７年度は約７千円で、本年度は３７万８千円であり、けたはずれに増大している。それは前年度の年末カンパ、１３万円は別会計にしているのでもあるが、本年度は、８月危機から生れた所員の定期カンパと朝研を守ろうとする所員、研究生、読者の積極的な意志の表れとみる事が出来る。

　④　売上高、６７年度は約４３７万５千円で、本年度は約２６２万である。この極端な減少は文化史の売上げが、なくなったからである。６７年度の売上金の中には、約１７７万円が文化史の売上げで、ほゞその分が、本年度減少している。

しかし、その事は６８年度の予算編成の時にも当然問題にされ、文化史に変る財源として新規出版物が企画されたのである。６８年度予算案によれば、新規出版物の売上１２０万、『朝鮮研究』１７０万、売掛金回収９０万、在庫売上４０万、計４２０万の努力目標をかかげたが、実際の売上高は約２６３万に終ってしまった。したがって、その不足分が不償となった。

　　出　　版

　/.　年初の出版計画

　１９６８年度の出版計画は、『現代朝鮮外交資料集』『金玉均の研究』『蓄積のシンポジウム』『朝鮮語テキスト』『３・１独立闘争』『日本のなかの朝鮮』『朝鮮の教育制度』（資料集）

『日朝友好運動論』『教師のための朝鮮史』『朝鮮史概説』以上１０点の出版計画をたてた。うち実現したものは、研究所での出版２点、勁草書房から１点、あと三省堂と接渉中のもの２点という実績であった。

　経済的には、自社出版の『外交資料集』がほゞ印刷費にみあう売上げ、『金玉均の研究』は、印刷費にみあうまでには、あと数万円の売上げが必要という状態であった。シンポジウム『日本と朝鮮』は、印税の全額が研究所の収入となる。

　　2　方針の変更

　才１４回運営委員会（８月１４日）で、財政上の理由から研究所の縮少案が検討されたことに関連し、「出版は研究所で」という従来の方針を、資料集を除き、原則として出版物は出版社からだすという方針に変更した。（９月２５日運営委員会）そのとき改めて次の出版計画がたてられた。

　①延吉爆弾　②植民者の回想　③在日朝鮮人　④朝鮮人学校の日本人教師　⑤近・現代史の手引　⑥『朝鮮文化史』普及版を計画に追加、出版社に交渉に入った。具体的には、『延吉爆弾』を東邦書店と徳間書店に。『植民者の回想』を岩波・勁草・三省堂に。『在日朝鮮人』を三省堂に。『近・現代史の手引』を勁草に、それぞれ交渉中である。いまのところ、三省堂の『在日朝鮮人』、勁草書房の『近・現代史の手引』などが、実現の可能性があるようだ。また、『文化史普及版』は、岩波・勁草・日本評論社に話をしたが、採算がとれないとの理由で、いずれも実現できなかった。

『朝鮮語テキスト』は、出版交渉中。年末に鎌田運営委員より、洪達善の『社会主義経済における物質的刺激について』の翻訳が届けられた。１２月２６日日本評論社に持参、出版の依頼をした。

　　3　販売状況

　集会や研究会などでの出張販売は、昨年より多く行つたし、事務局の夏季手当に充当すべく、書籍を買つてもらうための努力も行つた。しかし、今年度に限つてみると『外交資料集』も『金玉均の研究』も、当初予想した通りの売上げにはいたらなかった。そのことは結果として、資金繰りのうえで、プラスを予定したものが、むしろ負担となつて現われてきた。原因は、色々あるがその才一は、『金玉均の研究』の書評などの広告、宣伝が充分に行きわたらなかつたこと。合わせ、目的意識的な販売政策がなかつたこと。

才二は、在日朝鮮人関係（例えば朝大など）で従来より売れなくなつたことなどを上げることが

－14－

120　第８回

できる。

↙ 問　題　点

(イ)　オ二の理由はともかく、オ一の書評を関係誌に掲載してもらうこと。運営委員はじめ所員が、研究所の出版物を販売することなど、かなりの努力が行なわれたが、それが一部の運営委員にとゞまり、全体としては、必ずしも充分なものとはなりえなかつた。研究所の出版物が一般のものより割り高であり、あるいは専門がそれぞれ違うという事情などは、無視できないが、より多くの運営委員や所員が、このことを重視し集中できなかつた事は次の理由による。

まず運営委員会内で、研究所が作製した出版物を拡めることが研究の普及という点でいかなる意味をもつのかの討議が少なくもつばら当面の財政的観点からの討論に集中した。それは必要なことであつたが結局それも充分に目的を果すことができずに終つた。つまり、それは仮に意義がわかつても、研究者が物を販売することは、活動家に論文を求めることにひとしく、至難なことであり、それに対する対策が充分でなかつたといえる。

(ロ)　出版方針の変更後、かなりの点数を出版社にもちこんでいるが、なかなか実現しない。理由は、初めてのことで、事情にうといということと、出版社の望む企画と手持の原稿がうまく合致しない。朝鮮関係の出版物が一般に売れないなどの原因が考えられる。

(ハ)　現在の規模(研究内容を含む)を維持する限り、出版物の製作、販売の問題は、テクニツクの問題もさることながら、本質はわれわれの朝鮮問題に対する熱意にかかつているといえる。

１９６９年度　活動方針(案)

基本方針(総　務)

研究所は、前年度同様

①　日本人の手により、日本人の立場での朝鮮研究を目的とする。朝鮮研究者を広く結集し、朝鮮に関する諸般の研究を行い、その成果をひろめ、朝鮮研究の水準向上に質することによつて日朝友好に寄与する。

—15—

Ⅲ　定期総会資料　121

② 研究所は、政党と異なり考え方の違う人達によつて構成されている。思想、世界観、所属政党、生き方の相違などを理由に排除や干渉をしてはならない。

以上研究姿勢の主体と大衆団体の運営上の原則を守り、研究所の発展を図る。

③ 運営委員会及び所員の結集

運営委員や所員の結集の度合が、対内的には、研究蓄積の深浅、財政の強弱、対外的には、啓蒙、宣伝の普及、深度を左右することは、例年確認してきたところである。従つて、結集度が高かければ、研究も財政も深まり豊かとなる。そのことがひいては、日本における朝鮮問題のあり方に肯定的な影響を与えることとなる。運営委員をはじめ所員の結集の如何は、たんに研究所の消長にとどまらず、きわめて大きな社会的責任が負わされているといえる。

研究所を構成している所員の思想、信条が異なることから、社会的諸事件や諸運動に対する評価についても、かなりの相違があることは周知の事実である。加えて、国際共産主義運動も依然複雑の度を加え、朝鮮情勢も同様「武装ゲリラ」などの出現により、流動しつづけている。一方、日本の支配層は、朝鮮南半部への支配を益々強め、反面、朝鮮民主主義人民共和国への敵視政策は比例して強化されている。

これに対応する国民の側は、引続き、研究や運動の面で、色々な努力が継続しているし、昨年の機関誌の増加などにみられるように、明るい可能性は現存している。しかし、総じて、朝鮮問題に対する正しい認識と対処は、充分ではなく、支配階級の動きを充分にチエツクできる状態にないことは否定できない。従つて、客観的にも主体的にも研究所に課せられた任務は、重大なものがあるといえよう。

過去の歴史的事実と置かれている現状にてらし、研究所が、具体的になさねばならぬことは、色々あるが、両国人民の連帯の強化こそが、最も重要な中心点であると考える。昨年に引続き、研究所の諸研究、諸活動を多面的に、それに役だつようここに集中して行こう。

総 務 方 針

① ここ数年研究所の内外で、意見の相違がいちじるしくなつてきているが、研究所の運営の場では、むしろ逆に、討論が消極化して行く傾向があり、必ずしも活発な討論が進んでいるとはいい難い実状である。

仮に、意見や評価の違いから、発言や運営参加への消極化であるとしたなら、それは、生産的な態度とはいえない。異なる意見や評価を不問に付するのではなく、冷静に討議し、その成果を

引続き機関誌に発表、研究の向上、運動の発展に寄与するという立場を堅持する。

② 昨年の反省から、研究姿勢一研究上の立場一を最も抑圧されている階層に密着して行うよう更に努力する。

③ 行動のできる運営委員会、今年度は、是非とも実現したい。そのためには、研究所の運営に熱心な所員を運営委員に選出することは、いうまでもないが、実際に行動できる人がよりのぞましい。また、研究、財政、啓蒙の結合のより強化ということから、所内研究会の責任者をできるだけ、運営委員会に結集するようにする。

④ 研究生制度が大きな成果を上げていることから、今年も引続き、この制度の強化発展に特に力を注ぐ。

機 関 誌 活 動 方 針

前年度の方針を引ついで、さらに連帯の課題を多様な角度からほりさげていかなければならない。

南北朝鮮の動向・分析を充実させるため、所内研究会の地道な活動を基礎に計画的にライターをつくつていきたい。

日本人の朝鮮問題への関心を多角的にほり起すために、日本自体の問題と朝鮮の問題をいわば横につなぐ1特集を企画し、所外の人々の発言を積極的に求めていきたい。（横わりの特集企画の例；沖縄と朝鮮、日本の労働問題と朝鮮、3・1運動と日本人、安保と日韓・民族主義、日本の教育と朝鮮、在日朝鮮人にとつて日本人とは何か、部落問題と朝鮮問題、日本の学問と朝鮮、治安当局と朝鮮、アジア外交と朝鮮、太平洋戦争と朝鮮、8・15直後の日本と朝鮮、日本人の南北朝鮮観、独占の南朝鮮進出、朝鮮の国際路線）。

朝鮮についての初歩的な関心に応じ、雑誌としてよみやすくなるために、「読者質問・意見の欄」「史料解説」「朝鮮歳時記」などのコマを常設し、毎号連載していきたい。

研 究 活 動 方 針

① 前年度から活動を続けている研究会は、五つあるが、今年度は、加えて、北朝鮮に力点を置く、現状分析研究会の設置を考える。

② 個々の研究会と運営委員会の有機的関連を図り、その成果を機関紙に発表する。一方、各

—17—

研究会ごとに、実情に応じ、資料集やパンフレツトなどの作製を合わせ立案する。

③　各研究会の研究活動発展のためには、研究会相互の情報交換—研究テーマ、研究方法、問題点など—が必要である。そのために、各研究会では、メモ程度のものでもよいから、ニュースを発行し、連携を図る。

講座部会活動方針

①　研究生制度

その重要さは、ここ2年間の実績で評価が確定したとおり、最も重視しなければならないものの一つである。研究生の期待に答えるべく、担当者まかせではなく、充分な体制の確立が必要となつてきている。

②　テーマ別講座

今年も引続き、数回のテーマ別講座を行う。

③　火曜講座

前年度は、遂に実行できなかつたが、実行できれば、大きな成果があるだけに、月1回でも是非実現したいものである。

④　朝鮮語講座

大新聞などに、広告が掲載されなくとも、1回大体10名前後の応募者がある。その成果は、いうまでもなく、隘路は、講師の問題にある。その体制の確立が急がれる。

財政・出版活動方針

1.　予算案は別紙

2.　収入について

(イ)　所費は、従来月300円のものを500円に値上げ、基礎財源の増収をはかる。

(ロ)　賛助会費は、昨年度の実績を踏襲した。

(ハ)　カンパは通常予算に組みこむ事は、正常ではないが、現状からみて、やむを得ず前年度の実績を計上した。

(ニ)　売上高中、機関誌の売上げは、現在部数の二割増加を予定、その回収率80％を計上した。

在庫の売上も前年度の２０％増をみこんだ。シンポジウム「日本と朝鮮」その他数点の出版物印税を新たに計上した。他に資料集、三点を予定した。

3. 支出について

(イ) 経費は、前年度をそのまま踏襲し、人件費については、月２０００円ベースアップを見込んだ。

(ロ) 印刷費は、機関誌と資料集３点の印刷代を計上した。

(ハ) 返済金は、国民金融公庫をはじめ緊急に返済しなければならないもののみに限った。

　本年度の予算案は、前年度の実績より２０％縮少している。支出を最少限度に押え、その支出から、収入のプランを検討せざるをえなかった。しかも収入の中で、比較的安定した収入は、全収入の４０％にすぎない。後の６０％は、すべて所員がいかに努力するか、全所員の双肩にかかっている。たとえば、機関誌にしても現部数より、固定読者２００近くを見込んでいる。資料を作り、原稿を書き、読者をふやす活動を一瞬たりともおこたることを許さない状態にあるといえよう。

4. ６９年度予算実行の基本的な考え方

　その団体の性格は、よってたつ資金と出所によって規定される。研究所は、創立以来「日本人の手による、日本人の立場からの朝鮮研究」をスローガンをかかげ、それを実践してきた。したがって、当然財政も「日本人の手による」ものでなければ「日本人の立場」がつらぬけない。

　研究所は、今まで幾度も財政的危機に直面したが、自力ではなく、他力に頼よる思想がまったくなかったわけではなかった。そのような弱点がある限り、私達がいかに声を大に「日本人の立場」を叫んでも、それはうつろにひびくだろう。しかし、私達は、徐々にその弱さを克服しつつある。昨年は、その立場を確固として貫ぬいたが故に、機関誌活動その他に一層のはく車をかけ、成果をあげえたのである。それは、昨年の８月危機を自力で乗切った事によくあらわれている。

　昨年の８月危機に直面した時、所員のある人は、自から定期カンパを行い、ある人は、かつてないほど精力的に、機関誌の購読者をふやした。また、研究生や読者も、積極的な提案や物心両面にわたる協力をしてくれた。このときほど研究所が多くの人に支えられている事を実感したことはない。

　研究所の財政は、研究所諸活動の総和であり、その社会的評価の反映なのである。今年こそ、赤字を克服し、発展の基礎を築きたいものである。それを実現するためには、ことある毎に研究

所の存立意義を問い、なぜ自分が、朝鮮研究をやるのかを自からに問い、自分自身の思想を深化しなければならない。そして、心ある国民に広く依拠し、積極的な活動を展開する以外に、研究所が存立しつゞけて行く道はないであろう。

出 版 企 画

① 資料集（研究所で発行するもの）

「朝鮮の教育制度」「南朝鮮の労働運動」「朝鮮の外交史料」（１９６８年度版）「日韓国会議事録」「在日朝鮮人」、その他

② 出版社から発行したいもの

「朝鮮語テキスト」「延吉爆弾」（翻訳）「植民者の回想」「在日朝鮮人」「朝鮮近・現代史の手引」「朝鮮人学校の日本人教師」「社会主義経済における物質的刺激について」（翻訳）その他

参考資料

ー1968年度役員名簿ー

（新年度の役員ではありません）

各選考委員は1時間近くの時間を費し、慎重に選考の結果、次の役員が、森下委員長より推選された。

理事長	古屋 貞雄	副理事長	四方 博	石野 久男
理 事	武藤 守一	木元 賢輔	大溝 正昭	岡 謙四郎
	白井 博久	森 一則	村松 武司	藤島 宇内
	佐藤 勝巳	渡部 学	森下 文一郎	畑田 重夫
	寺尾 五郎	守屋 典郎	宮田 節子	旗田 巍
	桜井 清	中野 礼三	奥 保男	東上 高志
	井上 秀雄	梶井 渉	梶村 秀樹	大村 益夫
	小沢 有作	大槻 健	三宅 鹿之助	田村 専之助
	和田 洋一			（順序不同）以上29名

会計監査	相川 理一郎

運営委員	小沢 有作	藤島 宇内	梶村 秀樹	渡部 学
	奥村 晧一	畑田 重夫	村松 武司	井上 秀雄
	木元 賢輔	吉岡 吉典	梶井 渉	武藤 守一
	大槻 健	宮田 節子	佐藤 勝巳	樋口 雄一
	森下 文一郎	井上 学	鎌田 隆	
				（順序不同）以上19名

—21—

Ⅲ　定期総会資料　127

規　　　約

才 1 章　　総　　則

才 1 条　　本研究所は、日本朝鮮研究所といゝ、事務所を東京都におく。

才 2 条　　1．本研究所は、朝鮮に関する各分野の研究者によつて構成される民間研究機関で
ある。

　　　　　2．理事会の議決を経て、必要の地に支所をおくことができる。

才 2 章　　目 的 と 事 業

才 3 条　　1．本研究所は、日本人の手による日本人の立場での朝鮮研究を目的とする。

　　　　　2．本研究所は、朝鮮研究者を広く結集し、朝鮮に関する諸般の研究を行ない、そ
の成果をひろめ、朝鮮研究の水準向上に資することによつて日朝友好に寄与す
る。

才 4 条　　本研究所は、その目的（才3条）を遂行するため、下記の事業を行なう。

① 朝鮮に関する総合的研究

② 各種の研究会の開催

③ 各種の講演、講座、講習会の開催

④ 定期刊行物の発行

⑤ 各種単行本、研究紀要、年鑑、便覧類の発行

⑥ 関係資料の蒐集

⑦ 関係研究機関との交流

⑧ 各種委託調査、委託翻訳の実施

⑨ 研究生及び研究者の養成と在外研究への便宜供与

⑩ その他必要なる事業

才 3 章　　構　　成

才 5 条　　本研究所の構成種別は次の通りとする。

　　　　　1．所　員　本研究所の目的に賛同し、所費年額金3600円を納め、目的達成の
ため一定の義務を負つて参加する者

　　　　　2．準所員　本研究所の目的に賛同し、準所員費年額2400円を納め所内研究会

に出席し、その他、研究上の諸権利をうることができる。

　　　　３．賛助所員　本研究所の目的事業を賛助し、会費年額金１２０００円以上を納めるもの

　　　　４．顧　問　本研究所の活動の大綱について助言し、必要なる指導と援助を与える。

第６条　　１．所員になろうとするものは、所員２名の推せんを必要とする。

　　　　２．準所員になろうとするものは研究所の研究生を終了したもので、講師の推せんするものに限る。

第７条　　賛助所員になろうとするものは、別に定める規定により入会申込みをする。

　　　　第　４　章　　　役　　員

第８条　　本研究所には次の役員をおき、総会において選任する。

　　　　１．理　　事　　若干名

　　　　２．運営委員　　若干名

　　　　３．会計監査　　２名

第９条　　理事のうち、理事長１名、副理事長若干名、会計監査２名を総会において選任する。

第１０条　　１．理事長とは本研究所を代表する。

　　　　２．副理事長は理事長を補佐し、事故あるときはその職務を代理する。

　　　　３．運営委員は常時研究活動を掌握し業務の執行、いっさい所の経営総括にあたる。

　　　　４．会計監査は会計を監査する。

第１１条　　役員の任期は一年とする。再任は妨げない。

　　　　第　５　章　　　会　　議

第１２条　　１．総会は、全構成員をもつて年１回ひらき、研究上、経営上の前年度決算計画を総括確認し、次年度計画を審議決定し、予算、人事をきめる。

　　　　２．総会は理事長が招集する。

　　　　３．総会に於ける議決権は全構成員によつて平等に行使される。

　　　　４．総会の議決は出席の過半数の賛否を要す。

第１３条　　１．理事会は、理事長、副理事長、理事によつて構成する。

　　　　２．理事会は年２回以上開く。

第１４条　　１．理事会は総会に次ぐ決議機関で所の運営に必要な基本方針を定める。

—23—

Ⅲ　定期総会資料　129

第14条　　2、運営委員会は、総会、理事会の決定にしたがつて、日常業務の執行に当る。

第　6　章　　　事務局および職員

第15条　　1．本研究所に事務局を置く。

　　　　　　2．事務局は常勤所員によつて構成される。

　　　　　　3．事務局長は理事のなかから選任し理事会の承認をうける。

　　　　　　4．事務局には職員をおく。職員は運営委員会の審議を経て理事長が任命する。

第　7　章　　　賛　助　会

第16条　　1．研究所の目的と事業に賛同し、援助する法人、団体、個人によつて構成する。

　　　　　　2．賛助会の運営等については別に定める。

第　8　章　　　会　　　計

第17条　　1．本研究所の財政は、所費、賛助所費、賛助会費、寄付金、事業収入等をもつてあ
　　　　　　　てる。

　　　　　　2．本研究所の会計年度は毎年1月1日よりはじまり、同年12月31日に終る。

第　9　章　　　付　　　則

第18条　　この所則は、総会の議決を経て改廃することができる。

第19条　　この所則は、1967年2月12日より発効する。

以　上

日本　朝鮮研究所
千代田区神田淡路町２の１
ＴＥＬ（２５３）７５０３

東京都文京区湯島4丁目18番地　　TEL813-2427,812-0362

Ⅳ 人事=構成

理　事　長（1）
副　理　事　長（3）
所　　　長（1）
副　所　長（3）
専　務　理　事（1）
会　計　監　査（2）

常　任　理　事（8）

幹　　事（10）

理　　事（若干名）

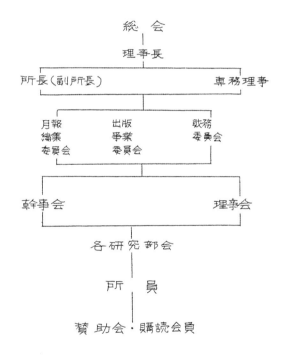

第十五条 1.次の事項は理事会の議決を要す。
①研究事業計画および収支予算書
②研究事業報告および収支決算
③その他理事長が必要と認めた事項
2.幹事は理事会に出席し意見をのべることができるが、表決はできない。但し、重任は許される。

第十六条 1.幹事会は、所長が召集し、定期的に開催する
2.幹事会の下に研究上の各種部会を設けることができる

第六章 事務局および職員

第十七条 1.本研究所に事務局を置く
2.事務局は所員によって構成される
3.事務局には職員をおく

第十八条 事務局長は幹事のなかから選任し、常任理事会の承認を得る。

第十九条 職員は所長が任命する。

第七章 賛助会

第二十条 前各条以外の必要事項は所長が別に定める。

第二十一条 1.研究所の目的と事業に賛同し、援助す

る法人・団体個人によって構成する。
2.賛助会の運営等については別に定める。

第八章 会計

第二十二条 1.本研究所の財政は、所費・賛助所費、賛助会費・寄付金・事業収入等をもってあてる。
2.本研究所の会計年度は毎年 月 日よりはじまり、翌年 月 日に終る。

第二十三条 この所則は、総会の議を経て改廃することができる。

第九章 付則

第二十四条 この所則は、一九六二年十一月十六日より発効する。

以上

第七条　せんを必要とする。

賛助所員になろうとするものは、別に定める規定により入会申込みをする。

第四章　役員

第八条　本研究所には次の役員をおき総会において選任する。

1　理事　若干名
2　幹事　若干名
3　会計監査　二名

第九条　理事のうち、理事長一名、副理事長二名、所長一名、副所長若干名、専務理事一名、会計監査二名、常任理事若干名を総会において選任する。

第十条　1.理事長と所長は本研究所を代表する。
2.副理事長は理事長を補佐し事故あるときはその職務を代理する。
3.副所長は所長を補佐し、研究活動を掌握、総括する。
4.専務理事は理事長を補佐し、本研究所の業務の執行を総括し、所長、副所長に事故あるときは、その職務を代理する。

5.常任理事は、理事会より委任された業務を審議、決定し実行する。
6.会計監査は会計を監査する。

第十一条　役員の任期は一年とする。再任は妨げない。

第十二条　幹事は、総会より委任された研究活動について審議、具体化し、実行する。

第五章　会議

第十三条　1.総会は、全構成員をもって年一回ひらき、研究上・経営上の前年度計画を総括確認し、次年度計画を審議決定し、予算、決算、人事をきめる。
2.総会は理事長が召集する。
3.総会における議決権は全構成員によって平等に行使される。

第十四条　1.理事会は、理事長、副理事長、所長、副所長、専務理事、理事によって構成する。
2.理事会は常任理事会と理事会にわける。
3.理事会は年二回以上開く。
4.常任理事会、理事長が必要と認めたとき開く。

規約

第一章　総則

第一条　本研究所は○朝鮮研究所といい、事務所を東京都におく。

第二条
1. 本研究所は、朝鮮に関する各分野の研究者によって構成される民間研究機関である。
2. 理事会の議決を経て、必要の地に支所をおくことができる。

第二章　目的と事業

第三条
1. 本研究所は、日本人の手による、日本人の立場での朝鮮研究を目的とする。
2. 本研究所は、朝鮮研究者を広く結集し、朝鮮に関する諸般の研究を行ない、その成果をひろめ、朝鮮研究の水準向上に資することによって日朝友好に寄与する。

第四条　本研究所は、その目的（第三条）を遂行するため、左の事業を行なう。
① 朝鮮に関する総合的研究
② 各種の研究会の開催
③ 各種の講演・講座・講習会の開催
④ 定期刊行物の発行
⑤ 各種単行本・研究紀要、年鑑、便覧類の発行
⑥ 関係資料の蒐集
⑦ 関係研究機関
⑧ 各種委託調査、委託翻訳の実施
⑨ 研究者の養成と在外研究の便宜供与
⑩ その他必要なる事業

第三章　構成

第五条
本研究所の備成種別は次の通りとする。
1. 所員。本研究所の目的に賛同し、所の目的達成のために一定の義務を負って参加する者。会費年額金三千六百円を納め、
2. 賛助所員。本研究所の目的事業を賛助し、会費年額金一万二千円以上を納めるもの。
3. 顧問。本研究所の活動の大綱について助言し、必要なる指導と援助を与えるもの。

第六条　所員になろうとする者は、所員二名の推

Ⅲ 予 算 案

《収 入 の 部》

所 費	300×50×12	180,000
賛 助 会 費	3,000×10×12	360,000
	1,000×50×12	600,000
	500×100×12	600,000
事 業 収 入		2,000,000
雑 収 入		460,000
計		4,200,000

《支 出 の 部》

事 務 所 費			
	交 通	15,000×12	180,000
	通 信	30,000 〃	420,000
	事 務	10,000 〃	120,000
	光 熱	5,000 〃	60,000
	家 賃	21,000 〃	252,000
	備 品		300,000
印 刷 費		50,000×12	600,000
諸 手 当		50,000 〃	600,000
〃		50,000×4	200,000
旅 費		10,000×12	120,000
渉 外 費		10,000×12	120,000
分 担 金		3,000×12	36,000
広 告 費		2,000×12	24,000
研 究 費			
	資 料	20,000×12	240,000
	会 議	10,000×〃	120,000
	稿料他	20,000×〃	240,000
返 済 金			500,000
予 備 費			68,000
計			4,200,000

·22·

Ⅳ. 学術交流

1. 一九六四年訪朝訪中ヤ二回代表団派遣

2. 世界科連東アジアシンポジウムへの参加

3. 国内における朝鮮関係諸研究機関との提携

4. 在日朝鮮人との交流

5. 朝鮮人学者の日本招請のための準備

Ⅴ. 研究所事務所の建設について

ヤ二回総会で日朝文化会館の建設について提起されたが、具体化の段階に至ってない。しかし活動が活溌化し、現在では狭く不自由な状態である。従って、一九六四年度中に拡充の見通しを立てることを目標に努力する。

Ⅵ. 事務局体制の強化

とくに研究担当の常勤者

Ⅲ. 事業活動

進進するために、出版・事業委員会と賎務委員会を確立し、計画実行の任に当る。

1. 翻訳資料紹介室の準備

2. 図書交流の斡旋

3. 出版事業
   a. 資料シリーズ・普及シリーズ
   b. 複刻版
   c. パンフレット
   d. 年鑑
   e. 単行本
   f. その他

4. 文物展示会等の文化事業

5. その他

B. 研究発表

1. 朝鮮研究月報の定期刊行
   a. 編集委員会の確立。
   b. 研究成果を十分に反映できる内容とする。
   C. 当面、定期読者を倍加する目標を立てる。
   イ. そのための対象者のリストアップ。
   ロ. 所員の積極的協力体制
   d. 実務体制の強化
   e. 翻訳者集団の問題
   f. 一九六四年度に活版化を実現するよう努力
   する。

2. 公開講座
   a. 所独自の開催
   b. 三研究共催

3. 朝鮮研究に関する
   a. 研究発表会
   b. 紀 要

4. 資料集・文献目録等の作成

・19・

Ⅱ 研究事業計画（案）

A　研究活動

前年にひきつづき部門別の部会活動を組織する。あわせて、基礎的研究の具体的作業を開始し、つねに所員の問題意識を明らかにして、全所員の力を結集する。

今年度は広く研究者を、所の研究活動に参加しうるよう努力する必要がある。また研究が運動に寄与するという点におけるわれわれの活動も大切である。

1. 綜合研究会

2. 各研究部会

3. 朝鮮講座

　　　初級　春秋二回

　　　中級　〃　〃

4. 語学研究会

5. 朝鮮問題講師団

6. 共同研究

7. その他

る。「日本」の文字を冠したのは、日本人の立場から日本人の手で研究をすすめ、その成果を日本人のなかに生かしてゆこう、との決意の表明でもある。民間研究所としては、古くは中国研究所・ついでアジア・アフリカ研究所があり、新しく生まれた私たちの研究所と日常的に、緊密な連絡をとっている、わが日本朝鮮研究所の有する特殊な意義は、日本人の側からの日朝友好の運動にたいする理論化の要請にこたえる、という点に・とくに力点がある。

アメリカ帝国主義の南朝鮮占領がアジアの平和を脅やかしているなかで、「日朝会談」がいっそう緊急なものにしていること、六十万の在日朝鮮人がおり、日本政府がこれに不当な圧迫を加えていることなどが、日朝友好運動を・他の国際連帯の運動よりもいっそう切実なものにしている。このため、わが研究所は「日朝会談」反対斗争においては、独自にパンフレットを発行し講師を全国各地の職場や地域に派遣して、斗争の第一線でたたかいたかった。

運動の面ではまた、今年が関東大震災四十周年にあたるので、日朝協会や在日朝鮮人学者と協力して在日朝鮮人殉難の資料を編集する仕事もすすめ、また、中国研究所・アジア・アフリカ研究所と共同で・アジア・アフリカ語座を主催したが、たたかう研究所としての

面目を、ますます発揮してゆきたいとかんがえる。わが研究所の任務には、このように運動の理論化、宣伝活動かあるが、なんといっても中心的任務は、日本の朝鮮研究を真に学問的なものに完成してゆくことにある。現代朝鮮研究部会、朝鮮近代史研究会、翻訳部会、各級朝鮮語講座など、いくつかのグループにわかれ、その成果を「朝鮮研究月報」に反映させる努力をかさねている。それとともに、ひろく社会・自然諸科学の学界での朝鮮との学術交流の要望を結集し、交流の障害をつくり出しているアメリカ帝国主義と日本政府の朝鮮敵視政策とたたかい、その望を突破する仕事においても。わが研究所が果すべき任務は大きいと考える。

このような任務をみずから課していても、研究所の現実はまだまだ貧弱であります。しかも民間研究所が共通してもっている財政的な困難を、発足後日が浅いだけにひと一倍かかえこんでいる現状で、ライシャワー路線をうけいれている政府の。あるいは半官半民の研究所からみると。まるで研究所の政府の。いないようにみえる。しかし。本格的な研究所としての体裁をなしてめざし、昨年の総会で提起された。「研究・発展・普及ならびに「学術交流」の諸事業を展開する中で、アジア・アフリカ研究所と共同で、アジア・アフリカ研究所を不動のものにしたい。創立三年目に課せられた特別の任務というものが、そこにあると考える。

容をなしていたが、帝国主義の段階に入るや、次第に社会科学の方法、主として「文化」人類学や社会学の分析方法が適用されるようになった。アメリカは、ヨーロッパで創始された東洋学をひきつぎ、こんどの大戦火後、「後進」諸地域開発の目的に従属させるための地域研究を大きく探りあげはじめた。これが、かれらのいう「地域研究」である。

アメリカの地域研究は、かれらの進出とともに、その範囲をひろげつつある。それは、コンロン報告にいう「縦深外交政策」適用するための研究であって、いかに客観性をよそおおうと、その意意は明白である。アメリカが、こうした「地域研究」攻勢をくりひろげているとき、私たちは正しい立場からの地域研究によって、これに対抗すべき責務をもっている。私たちが正しい朝鮮研究を意図しているのも、ライシャワーを先頭としたアメリカの地域研究攻勢に対抗するためである。

ただ、この場合、私たちのアジア研究は、たんにアメリカの学術文化攻勢への対抗手段としてやるのではなくて、もっと積極的な意義をもっている。ということを確認すべきである。それは、私たちがアジアについて正しい知識をもつことが、日本人民の民主的要求を貫徹することになるからである。朝鮮の平和的統一、

中国の台湾解放、ヴェトナムの統一について、私たちがそれぞれの人民の正しい要求を知り、その要求と日本人民のたたかいとをむすびつけることが、日本の幸福実現のために、目下の緊要事だからである。

朝鮮研究をはじめとするアジア研究を、ふかめ、ひろめることは、学問自体にとっても重要なことである。政治学や経済学といった社会諸科学の分科にわけてしまって、アジアの問題を分析してながめるのでは、たたかいの武器とはならない。もちろん、研究者の専門によって、それぞれの学問の方法は駆使されるにしても、朝鮮なり中国なりを統一的に研究する態度がどうしても必要である。それによってこそ、問題の本質にせまりうるのである。そして、綜合的に朝鮮をはじめアジアを研究することが、逆に従来の社会科学を富まし、発展させる関係にあると考える。

このような問題の提起は、旧来の学界のゆきなかりにとらわれない民間研究こそ、よくなしうるものである。

5. 研究所の存在意義と任務

わが日本朝鮮研究所が呱々の声をあげたのは、一九六一年十一月であった。すでにのべたように、朝鮮研究所は、まさに生まれるべくして生まれたのであ

界についての研究とはまったく分離し、統一した朝鮮
優・中国像が成りたたなくなり、したがって・日本人
の朝鮮認識、中国認識は二分されてしまったのである。

漢学は本来、反動的な役わりをになった封建教学だ
が、この分野にも科学の風がふきこみ、フランスの東
洋学などの方法をとりいれて、実証的な研究方法が確
立してきた。もっとも、実証的といっても、漢学の知
識の伝統のなかに西欧的観点を導入したものである。
そして、最もアカデミックな研究分野である、と自負
するようになった。ただし実際は、日清戦争、日露戦
争と、日本の「大陸進出」の波にのって、この分野も
発展したのであって、決して現実と無関係でないこと
は、日本の「満鮮史」研究の、問題把握の仕方がよく
ものがたっています。

かくて、現代研究者が古典の知識にとぼしく、古典
研究者が現代に無関心、という悪しき遺産が、日本の
東洋研究一般に存在している。この溝は埋めなければ
ならないし、げんに東洋学者のなかからも、現代に眼
をむける人びとが多くなりつつある。ところが、ここ
にも問題がある。もともと非政治的なアカデミズムを
標榜する東洋学に、現代への関心も充分織りこんだア
メリカの研究が、その「客観」性、「科学」性を売り
ものに入りこむ余地が充分ある。東洋学の中枢機関の

一つである東洋文庫に、AF財団の資金が投入された
ことは決して偶然ではない。ここにも、正しい世界観
の上にたって・日本の朝鮮研究を確立するために、
古典研究と現代研究を結合し・新しい
朝鮮研究を確立することが急務となっているといわな
くてはならない。

私たちが朝鮮研究の分野で、ライシャワー路線をは
ねかえすには、朝鮮研究が過去において負ってきた問
題点をふかく認識し、正しい世界観の上にたって、私
たちの学問的成果を蓄積する以外にはない。そのため
には、学問を学問として切りはなすのではなくて、独
立と平和をかちとる私たちの運動との結合が、なによ
りも重要であると考える次第である。

4. アジア研究の重要性

西欧において地域研究が成立するためには、すくな
くともつぎの三点のどれかがみたしている。すなわち、
第一に、西欧的世界とは異質の社会であること。第二
に、植民地的進出の対象地域であること。第三に、情
報が比較的かぎられた専門家に集中していること。で
あって、もともと「後進」地域を対象としたものであ
る。したがって、地域研究の対象地域は、ほぼアジア
とアフリカに集中している。はじめヨーロッパでは、
アジアについて、その珍奇な風物を記述することが内

69（146） III 定期総会資料

く追求することは、私たちの姿勢を正す契機となるからである。

問題点の一つとして、従来の朝鮮認識において、朝鮮は日本の「内地」にたいする「外地」だ、という観点があげられる。そして、「内地」は近代化の程度が「外地」よりはるかにすすんでおり、「外地」を「内地」化することがのぞましい、という結論をみちびきだす。たとえば研究の面で、朝鮮の経済などのように「内地」にむすびつけるか、「大陸」への前進基地としてどう利用するか、という観点からの「研究」だとか、太平洋戦争の時期におこなわれた朝鮮人に日本姓を強制したことは、朝鮮の古い封建制を打破し、その近代化に役だつ。といった議論などが出たのは、この「外地」論に根ざしている。要するに、朝鮮を独自の文化をもった外国としてみない立場で、ここから多くの誤まった結論を生み、それが政策にも反映していることは、過去の日本帝国主義の統治の仕方にもあらわれている。

いま、朝鮮に対する「外地」論はもはやいかなる意味でも成りたちえないし、かつて朝鮮を「外地」として見た立場への反省も研究者のなかにある。しかし、「近代」化をはかる物差しが交らぬかぎり、問題は依然として残るわけである。アメリカの地域研究は、対象地域の特殊性を強調し、あたかもその独自の文化を

尊重するかのような外被をまとっています。しかも、「近代」化の最高の規準をアメリカにおくのである。過去の日本の朝鮮研究がくずれさったあと、善意の研究者までが、アメリカの地域研究に清新さを感じ、まきこまれていく条件がないとはいえない。いまこそ、国際連帯の立場にたち、朝鮮の南北の自主的・平和的統一の要求を日本の真の独立の要求と結合してとらえる観点を確立し、私たちの研究の基礎をかためなければならぬときであろう。

問題点の第二は、現代研究と古典研究の分離である。さきにのべたように、現代朝鮮の研究は、アカデミズムの伝統を有しなかったけれども、朝鮮の古典世界の研究は、中国としてアカデミズムの一隅に存在しつづけてきた。東洋史学というのがそれである。

日本において、東洋についての学問は、徳川封建時代、儒学という形で主流をなしていた。明治維新以後、いわゆる「洋学」が学問の主流となると、現実の東洋についての研究は「洋学」の枠外にはみだし・せいぜい「調査」という性質のものになった。一方・漢学は、天皇制をささえる教学として・アカデミズムのなかに残り、東洋古典の研究はそこでおこなわれることになった。かくて明治以後、朝鮮についても、現実に対する調査研究と・古典世

つていないということである。日本の社会諸科学は、政治学でも経済学でも、西欧のことは論じても、アジアを正面から対象にすえようとしなかった。そこで、朝鮮についての講座も、大学にはおかれていない。また、朝鮮語も、最近では一、二の大学に特殊語学として講座がおかれるようになったが、まだまだ一般に普及していない。朝鮮研究者で、朝鮮語を解しないものが多い、という研究上のゆがみさえ生じている。もっとも、これは近代・現代朝鮮研究についてであって、のちにのべるように、古い時代の朝鮮についての研究は、アカデミズムのなかにある程度伝統を有している。

かくて、朝鮮についての研究は、アカデミズムにおいてでなく直接、朝鮮統治に利害を有していた総督府や、半官半民会社の調査課などが、実務上の必要からおこなう、という有様であった。これは中国研究についてもいえることで、研究・というより・調査というのがふさわしかったといえる。

第三に、理論のとぼしさである。西欧諸国が自分とは異質な東洋の「後進」諸地域を研究するばあい、社会諸科学の分科のワクをできるだけはずして、対象地域を綜合的にながめようとする。もちろん、対象地域の搾取を効率的にするためであって、それは資本輸出なり直接支配なりの必要から出た植民地研究というべ

きものである。日本の朝鮮研究に課せられた任務は・まさに植民地研究であった。しかも日本の学問は・できにのべたように、西欧で生まれた原理の直輸入という性格をのこし、また、一般的にアジアへの無関心だあったために、同じく植民地研究といっても、「理論」がとぼしく、たんに記述的な資料の蒐積の感をまぬがれない。

いうまでもなく、過去の日本の朝鮮研究が、すべて無にひとしかった、というのではない。植民地研究的域を脱した成果もあるし、また、たとえ植民地研究的であっても資料として貴重な遺産も残したこともたしかである。ただ・一般的にいって・かつての日本の朝鮮研究が、帝国主義の立場にたつ植民地研究として、右のような性格を呈していたことを、ここで確認すべきであろう。

3. 研究の問題点

いま私たちは、未来への展望をもった新しい朝鮮研究を確立しようとしている。戦後に育った若い世代のなかにも、正しい姿勢で朝鮮研究にとりくもうという人たちも生まれてきている。そこで、右にあげたような従来の朝鮮研究の性格からして、内容的にどのような問題を内包していたかを、さらに検討してみたいとかんがえる。過去の研究が負っていた問題点をさぐし

ているものがアメリカ帝国主義と日本の政府、独占資
本の朝鮮に対する敵視政策であり・これとの斗いこそ
が日本側に課せられた最大の課題であり・これが認識さ
れているとはいえない。部分的には日本側の責任を全
く省みず、もっぱら大国主義的、植民地主義者的立場
からの日朝「交流」を要求する人びとさえいることも
事実である。

一方で労働者階級の斗いに導かれ、かつ在日本朝鮮
人総聯合会、在日本朝鮮人科学者協会など在日本朝鮮公
民の民主的諸団体との友好関係を強めることによって、
日本の学界各分野の朝鮮認識のゆがみをすみやかに克
服しなければならない。同時に他方で学問研究のあり
方を正し・なかんづく、かつての日帝植民地支配の一
翼をになった朝鮮「研究」と当面もっとも必要なこと
は・日朝両国間に人為的にきずかれている壁を打破す
るために、広汎な人びとの力を結集することである。
私どもがこの問題について負っている責任はきわめて
重かつ大であると考える。

2. 朝鮮研究の性格

学問分野での朝鮮認識のゆがみはいうまでもなく日
本帝国主義の植民地支配に発しているが、これを具体
的にみるにはひろく、日本が近代化の過程で形成して

きた学問の性格を考慮する必要がある。
日本にかぎらず、アジア諸国において多かれ少なか
れみられた現象であるが、その社会の近代化をこころ
みるさいに、旧来の封建哲学を否定したあと、西欧に
おける学問認識の方法を、そのまま直輸入される傾向が
あった。そこで、原理は、実際とむすびつかぬ抽象的
な原理としてのみ追求され、ことに社会諸科学におい
ては・当面の緊要な課題にたいする適応性がとぼしい
という結果を生んだ。とくに、アジアの民衆が直面し
ている困難から眼をそらすか、あるいはそれを東洋に
進出しようとする西欧人の眼からながめる。という態
度を生じたのである。

そこで、明治以後・日本の朝鮮研究には、つぎのよ
うな特性を生み、その影響をこんにちにのこしている。
第一に、研究者がきわめてすくなく、したがって研
究の蓄積にとぼしい、ということである。これは、ア
ジアにたいする関心が、学問分野では、はなはだすく
ないことから、中国研究をふくめたアジア研究一般に
いえることである。しかし、中国研究が、それなりに
研究者の層の厚みを育てているのからみれば、朝鮮研
究は比較にならない。朝鮮にたいする無関心、軽視が
そのまま反映しているわけである。
第二に、正しい意味でのアカデミックな伝統がそだ

エ. 朝鮮研究の諸問題と日本朝鮮研究所の性格ならびに任務

―基本方針案―

1

朝鮮にたいする関心の高まり

日本のいちばん近い隣国であり、古い文化のきずなで結ばれた朝鮮に対して、また、もっとも親しかるべき友人である朝鮮人民にたいして、日本人一般はこんにちなお充分に正しい認識をもっているとはいえない。かなり多くの人びとが不正常な日朝関係の現状について依然無関心であるばかりでなく、三十六年間の日帝植民地支配のなかでつちかわれた朝鮮と朝鮮人にたいするいわれのない偏見と蔑視がいまだに根強く残存していることも否定できません。これは植民地を所有することが・その国の人民の心をいかに毒するものであるかを示す証左として、私たちに深刻な反省をせまる事実である。

しかしながらここ二、三年来、日本人民の朝鮮および朝鮮人民に対する認識と態度が、急激にあらためられつつあることもまた見落すことはできない。労働者階級を中心とする勤労人民は、安保斗争およびこれと時を同じくして展開された在日朝鮮公民の

祖国への帰国実現のための運動をつうじて、朝鮮民主主義人民共和国政府の平和的外交政策と北朝鮮における社会主義建設の偉大な発展について多くのことを学んだ。さらに南朝鮮における人民の反米救国斗争の高揚とアメリカ帝国主義の侵略政策の破綻を知ることによって、共通の敵とたたかう友人朝鮮人民にたいする連帯感を深めたのである。昨年から今年へかけての「日韓会談」反対斗争の高揚や、現在急速に高まりつつある在日朝鮮公民の祖国への自由往来実現のための運動にたいする広汎な日本諸階層の支持の背景には、朝鮮と朝鮮人に対するこのような認識の変化があることは明らかである。

この点では学術文化界も例外ではない。かつての日帝植民地支配に対する反省と北朝鮮における社会主義建設への尊敬を基礎にして日朝両国学術文化界の友好と交流を望む声があがりつつある。ただ、この場合、学術文化界においては、労働者階級と比較して克服・是正されねばならないより多くの弱点を抱えていることを自覚しないわけにはいかない。それは、労働者階級の「日韓会談」反対斗争との精力的な取り組みにもかかわらず、この斗争への学者・研究者の参加がはなはだしく立ちおくれている事実に端的に示されている。日朝両国間の学術文化交流という問題にしても大多数はまだこれに無関心であり、交流を要望する人びとの間でも、交流の発展を妨げ

一九六四年度の方針案

一、基本方針案

　　朝鮮研究の諸問題と研究所の性格と任務

二、研究事業計画案

三、予算案

四、人事構成

　　付　規約全文

理事

握井　防　　　　西巣鴨中学校教諭

大槻　健　　　　早稲田大学教授

岡本　明男　　　機関紙通信社

桑ケ谷森男　　　成学院高校教諭

悠井　清

怀　勇精

黒田　寿男

高津　正道

宮腰　喜助

飛田　一雄

高橋左五郎

飯田　助

水沢　正

幹事

中村秀子

所員

蛾山芳邦

宮田節子　明治大学大学院

張村秀樹　東大東洋文化研究所

水元秀雄　日本朝鮮研究所事務局長

秋元久磨　読売新聞社経済部

小松久磨　エコノミスト編集部

高橋甫　原水爆禁日本協議会専門委員

斉藤秋男　北海道大学教授

中井京太郎　立命館大学教授

平原直　荷役研究所所長

小田切秀雄　法政大学教授

小林幸雄　フンボルト大学講師

金沢幸　総評国際部

佐藤剛弘　政治評論家

新名丈夫　日朝貿易会

竹本貿三　社会新報編集部

鶴崎友亀　アカハタ編集部

唐笠文男　日朝協会事務局長

中野良介　日本税関紙記者会幹事

新島淳良　早稲田大学教授

土師政雄　教育数学協議会

林茂夫　日本平和委員会理事

所員

一彦

牧瀬恒二　全鉱連

宮原正宏　沖縄返還促進委員会

宮岡健人　日朝貿易会

村上貞碓　〃

村岡博人　共同通信社社会部

武田幸男　東京大学大学院

稲原列治　〃

朝村緒一　東洋経済記者

宮崎吉政　読売論説委員

仁尾一邦　朝日論説委員

新井宝一　毎日論説委員

小林正夫　ジャパン・タイムス

荻野芳夫　自由人権協会理事長

植村進　日朝協会愛知県連事務局長

坂本勲　大阪外大講師

中野礼三　日朝協会福岡県連事務局長

堀江壮一　〃　大阪府連　〃

三品彰英　大阪市立博物館長

福永考雄　名古屋大学大学院

村上崇志　部落問題研究所

中村栄孝　名古屋大学教授

鈴木二郎　都立大教授

大村益夫　早稲田大学講師

所員名簿

顧問
- 青山公亮　明治大学教授
- 上原専禄　国民教育研究所
- 末松保和　学習院大学教授
- 畑中政春　日朝協会理事長
- 古林喜楽　学術会議議員

理事長
- 古屋貞雄　弁護士

副理事長
- 旗田巍　東京都立大学教授
- 鈴木一雄　日中貿易促進会専務理事

専務理事
- 四方博　岐阜大学学長

常任理事
- 寺尾五郎　日朝貿易会専務理事
- 相川理一郎　日本ブルガリア友好協会理事長
- 森下文一郎　日朝協会群馬県連理事長
- 田辺誠　日朝貿易会群馬県連理事長
- 竹内好　中国文学研究者
- 中神秀子　評論家
- 蝋山芳郎　アジア・アフリカ研究所理事
- 印南広志　在日朝鮮人帰国協力会事務局長

会計監査
- 牧之内武人　牧之内法律事務所長

理事
- 石野久男　衆議院議員
- 宮崎繁　世界政治資料編集委員
- 山本進　エコノミスト編集長

理事
- 安江良介　岩波書店右編集部
- 村松武司　ダイヤモンド編集部
- 星野安三郎　東京学芸大学助教授
- 白井博久　日工展事務課長
- 阿議四郎　都議会議員
- 岡本三郎　日中貿易促進会
- 森一則　第一通商営業部次長
- 稲川議三　栄ホープ株式会社社長
- 新川伝助　北海道大学水産学部講師
- 玉井茂　岐阜大学教授
- 武藤守一　立命館大学教授法学部長
- 和田洋一　同志社大学文学部長

所長
- 鈴木朝英　北海道大学教授

副所長
- 安藤彦太郎　早稲田大学教授
- 畑田重夫　労教協常任理事

所員
- 渡辺学　武蔵大学教授
- 藤島宇内　評論家
- 川越敬三　中国研究所理事
- 幼方直吉　ジャパン・プレス・サービス社
- 野口肇　日本平和委員会理事
- 小沢有作　国民教育研究所研究員

幹事
- 菅野裕臣　東京外大朝研

財政報告：

I. 収支明細 1962年11月〜1963年10月

《収入の部》

項　　目	金　　額	備　　考
所　費	89.900	
賛助会費	308.500	
事業収入	383.094	
寄付金	151.970	
特別会計1.	1.429.812	
特別会計2.	810.731	
払戻金	8.760	
前期くりこし	11.646	
雑費	1.383	
計	3.195.796	

《支出の部》

項　　目	金　　額	備　　考
交通費	167.217	
通信費	286.097	
事務用品費	61.433	
印刷費	964.590	
資料費	180.179	
光熱費	25.767	
家賃	240.000	
人件費	486.000	
備品什器費	50.548	
渉外費	200.534	
歩合	6.650	
仮払金	52.633	
返済金	370.000	
会場費	46.883	
旅費	3.320	
広告料	16.000	
雑費	7.664	
計	3.165.515	

1963年12月10日

監査の結果上記の通り相違ありません。

牧野内武人 ㊞

II. 負債明細

《未払金明細》

不二印刷	62.000
セトタイプ	10.210
あけぼの	113.000
日朝	3.430
朝鮮新報	570.790
日韓出版	17.700
韓国書籍	47.036
韓国日報	13.000
日朝都連	1.560
アジア通信	6.000
大安KK	575
アカハタ広告	2.000
人件費	68.000
編集料	40.000
パンフ分担	125.000
計	1.080.301

《借入金》

寺尾	49.336
特別会計	14.300
計	63.636

《仮受金》

月報仮受	24.350
計	24.350

III. 資産明細

《未収金》

所費	90.000
	90.000
賛助会費	54.000
月報 個人	58.350
団体	162.589
パンフレット	100.000
計	464.939

《在庫明細》

月報	60.000
パンフレット	600.000
計	660.000

《資産》

図書	50.000
什器備品	62.000
その他	10.000
計	122.000

学生懸賞論文

Ⅲ. 財政活動について

1. 第二回総会決定の予算案

〈予算案〉

収入の部

所費	30,000
賛助会費	160,000
寄付金	50,000
購読会費	60,000
事業収入	20,000
計	320,000

支出の部

事務所費	50,000
資料費	20,000
研究助成費	50,000
事務費	60,000
人件費	50,000
印刷費	60,000
雑費	10,000
返済金	20,000
計	320,000

2. 財政報告（次の折込み参照）

E．普及活動

ノ、パンフレット発行

a「私たちの生活と日韓会談」

b「日本の将来と日韓会談」

2 講師派遣活動

a 日韓会談

b 朝鮮問題

c 訪朝報告

3 複刻版発行

F．学術交流

ノ．訪朝・中代表団の派遣

D. 研究発表

1. 朝鮮研究月報

a. 十二冊（十一号～二二号）定期刊行

b. 編集委員会の定期化＝十一回

c. 内容（折込頁参照）

d. 配布状況

所員　　　　八六
準所員　　　八
賛助会員　　四六
寄贈交換　　二〇一
定期購読　　一四一
組紅書店　　一七一～二五。

2. 公開学習講座

一九六二年十一月九・十日
テーマ「日韓会談」

3. アジア・アフリカ講座ヤ二部

六月十日より四回
テーマ「日本と朝鮮」

Ⅲ、研究事業活動の経過

A、部門別研究会

1、現代朝鮮研究＝十五回（月報18号）

2、朝鮮近代史研究＝七回（月報19号）

3、翻訳委（文学研究）（所内報三号）

4、教育研究（月報22号）

5、朝鮮戦争研究（別刷プリント）

6、匈難史研究（月報17号）

B、シンポジウム

1、朝鮮史編修会の事業（末松保和）

2、朝鮮語研究について（河野六郎）

3、アジア社会経済史研究（森谷克己）

C、朝鮮語

1、初級ャ二回（菅野）

2、" ャ三回（菅野大村梶井）

" ャ四回（菅野）

3、中級ャ一回（菅野梶村）

ャ二回（菅野梶井）

3、会話教室（大村）

4、子ォ学習会（自主）

5、조선 등사 輪読（自主）

・3・

57（158） Ⅲ　定期総会資料

Ⅱ、所活動の経過

A、理事会

第一回　一月十八日
第二回　四月四日（合同）
第三回　四月二二日
第四回　八月三日
第五回　九月四日
第六回　十一月二日
第七回　十二月九日（合同）

B、臨時総会　五月二日

C、幹事会

第一回　十二月二四日
第二回　一月十一日
第三回　四月十六日
第四回　五月二一日
第五回　六月十八日
第六回　七月十六日
第七回　七月二十日
第八回　八月二十日
第九回　九月十七日
第十回　十月十五日
第十一回　十二月九日

年次報告

一九六二年十一月より一九六三年十月まで 一年間の活動報告

I、第二回総会で決定された方針＝研究事業計画について

　1、問題提起＝研究所の課題の性格

　2、研究事業活動＝本年度の具体的課題

　A、大綱

　B、a 研究活動の基本

　　　b 研究活動の具体案

　C、研究発表

　　　①基礎的研究　②部門別研究会の組紋　③専問家集団によるシンポジウム　④朝鮮語研究

　D、共同研究　①月報の定期刊行　②公開講座　③資料集　④委託研究その他　⑤翻訳月刊

　E、普及活動

　F、学術交流

　G、その他の事業

- 1 -

55（160）　Ⅲ　定期総会資料

日本朝鮮研究所創立二周年

第 三 回 総 会

とき　1963年12月11日

ところ　学 士 会 館 (本郷)

団 規 約

第一条（名称）本団は訪朝昊朝鮮研究所代表団と称する。

第二条（目的と任務）本団は
1. 日本における朝鮮研究の実情ならびに昊朝鮮研究所の現情と意義を正確に伝え.
2. 朝鮮の南北分断という状況の中における、社会主義建設と学術文化の情況を正しく日本に伝え、今後の学術交流事業の発展のための基礎的な打ちあわせを行い、真の友好・連帯と尊敬の精神にもとづいて相互の研究事業活動の発展に資する.

第3条（性格と構成）本団は
1. 昊朝鮮研究所が派遣する代表団であり、昊朝鮮研究所がすべての責任を負い、団は所の指示に従う
2. 本団の構成は次の通り

    団長　　　1名
    秘書長　　1名
    団員　　　4名
    随員　　　1名

3. 団役員は所が任命する.

第四条（団員）
1. 団の成員は、訪朝昊朝鮮研究所代表団の目的と任務に忠実であり、団規約に従って行動する.
2. 団長は団を代表し、団員を統轄する.
3. 秘書長は団長を補佐し、本団の団務の処理にあたる.
4. 団員は適宜に業務を分担する

第五条（団会議）
1. 団会議は、全団員をもって開き、訪朝に関する行動計画、予算、決算、任務分担をきめ、あわせて任務遂行のための学習も行う.
2. 団会議は、団長が召集する.
3. 団会議における発言権は全団員平等であり、全員一致を原則とする.
4. 国内（出発前、帰国後）では定期的に開き、訪朝期間中は、一つの行動の前後に必ず開く.

第六条（団財政）
1. 団の財政は、研究所の派遣基金による.
2. ただし、団員は派遣基金募集については、一定額の責任をもち、募金活動の中心となり活動する.

第七条（随員）
1. 随員は通訳を兼ね、団の指示に従い、実務を行う.
2. 随員は団財政で派遣する.
3. 随員は団会議に出席することができる.

第八条（団の解散）
1. 本団は、訪朝の任務を終え、帰国後一定の仕事を行い、解散する.
2. 本団の解散については団会議で決め、研究所の承認を得なければならない.

第九条（付則）
1. この規約は所の承認なしに改めることはできない.
2. この規約は1963年4月26日より発効する.

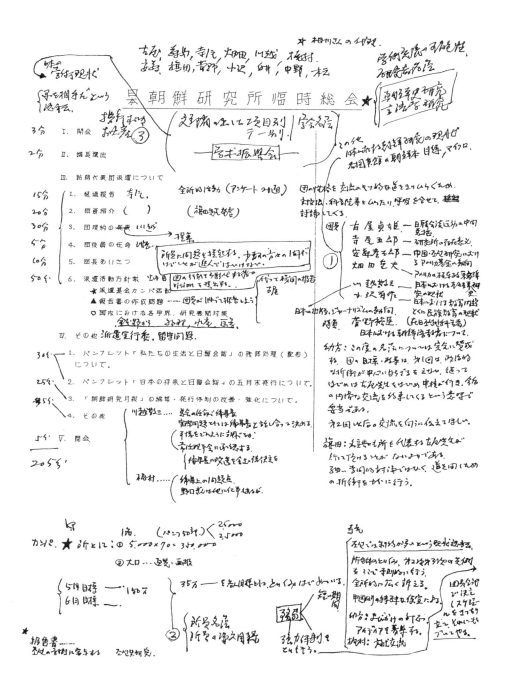

旗田先生

日本朝鮮研究所臨時総会

1. I. 開会　　　　　　　　　　　　　　　（3分）事務局長

2. II. 議長選出 ──→ 議事進行上、「その他」を先に行ない、（3分）　〃　　　　　　　議長は旗田.
　　　　　　　つづけて「訪朝代表団派遣」を行う.

4. III. 訪朝代表団派遣について
　　1. 経過報告　　　　　　　）寺尾　　　　　（15分）専務理事＝寺尾五郎
　　2. 団員紹介　　　　　　　　　　　　　　（20分）専任理事＝村井理助
　　3. 団規約の発表　提案・川越X　　　　　（30分）　　　　　　山越が中沢.
　　4. 団役員の任命　　　議長提案　　　　　（5分）常任理事か副理事長.
　　5. 団長あいさつ　寺尾V　　　　　　　　（10分）古屋団長.
　　6. 派遣活動方針案　畑田田.　　　　　　（50分）畑田副所長.
　　　　派遣基金カンパ活動
　　　　報告書の作成問題
　　　　国内における各学界、研究機関対策　}

3. IV. その他　　　　　　　　　　　　　　　　　　　　　担当　木元
　　1. パンフレット「私たちの生活と日韓会談」の残部処理（配布）　　時間と内容の問題から
　　　　について.　　　　　　　　　　　　（3分）　　　　事務局が一括提案.
　　2. パンフレット「日本の将来と日韓会談」の五月末発行について.　提案にもとづいて討論し
　　3. 「朝鮮研究月報」の編集・発行体制の改善・強化について.　　　決定する.
　　4. その他＝3研究所合同講座、研究協力体制}（25分）　　時間は予定より短縮
　　　　　　　　各研究会スケジュール、その他 }（5分）　　実行することを望む.
　　V. 閉会＝出席者より感謝代表　　　　　　（5分）

　　　　　　　　　　　　　　　計 205分
　　　　　　　　　　　　　　　　　＝
　　　　　　　　　　　　　　　3時間25分

［次頁も同じ臨時総会の資料であるが、書込みが違うので収録した］

東京都文京区湯島4の18／TEL（813）2427（812）0362／振替東京34984

Ⅲ 人事構成

常任理事

理事長（一）
副理事長（2）
所長（1）
副所長（2）

理事

専務理事（1）
会計監査（2）

幹事

顧問（若干）

22

第二十三条　この所則は、総会の議を経て改廃することができる。

第二十四条　この所則は、一九六二年十一月十六日より発効する。

以上

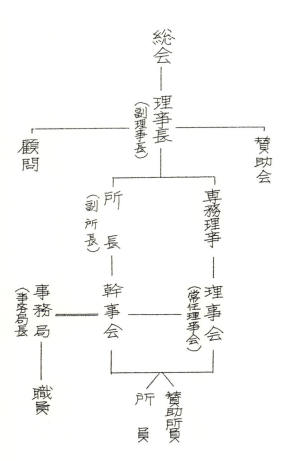

決はできない。但し、重任は許される。

第十六条 1 幹事会は、所長が召集し、定期的に開催する。
2 幹事会の下に研究上の各種部会を設けることができる

第六章 事務局および職員

第十七条 1 本研究所に事務局を置く
2 事務局は所員によって構成される
3 事務局には職員をおく

第十八条 事務局長は所長が幹事のなかから任命し、常任理事会の承認を得る。

第十九条 職員は所長が任命する。

第二十条 前各条以外の必要事項は所長が別に定める。

第七章 賛助会

第二十一条 1 研究所の目的と事業に賛同し、援助する法人・団体・個人によって構成する。
2 賛助会の運営等については別に定める

第八章 会計

第二十二条 1 本研究所の財政は、所費、賛助会費、寄付金、事業収入等をもってあてる
2 本研究所の会計年度は毎年 月 日よりはじまり、翌年 月 日に終る。

第九章 付則

第十一条　6.会計監査は会計を監査する。

幹事会は総会でえらばれ、総会より委任された研究活動について審議、具体化し・実行する。

第十二条　役員の任期は一年とする。再任は妨げない。

第五章　会　議

第十三条　1　総会は、全構成員をもつて年一回ひらき、研究上、経営上の前年度計画を総括確認し、次年度計画を審議決定し、予算・決算、人事をきめる。

2　総会は理事長が召集する。

3　総会における議決権は全構成員によつて平等に行使される。

第十四条　1　理事会は、理事長、副理事長、所長、副所長、専務理事、常任理事、理事によつて構成する。

2　理事会は常任理事会と理事会にわける。

3　理事会は年二回以上開く。

4　常任理事会は、理事長が必要と認めたとき開く。

第十五条　1　次の事項は理事会の議決を要す。

①　研究事業計画および収支予算書

②　研究事業報告および収支決算

③　その他理事長が必要と認めた事項

2　幹事は理事会に出席し意見をのべることができるが、表

第六条 所員になろうとする者は、所員二名の推せんを必要とする。

必要なる指導と援助を与える。

第七条 賛助会員になろうとするものは、別に定める規定により入会申込みをする。

第四章 役員

第八条 本研究所には次の役員をおく

1 理事 若干名

2 幹事 若干名

3 会計監査 二名

第九条 理事のうち、理事長一名、副理事長二名、所長一名、副所長二名・専務理事一名、会計監査二名、常任理事若干名を総会において選任する。

第十条 1 理事長と所長は本研究所を代表する。

2. 副理事長は理事長を補佐し事故あるときはその職務を代理する。

3. 副所長は所長を補佐し・研究活動を掌握・総括する。

4. 専務理事は理事長を補佐し・本研究所の業務の執行を総括し、所長・副所長に事故あるときは、その職務を代理する。

5 常任理事は、理事会より委任された業務を審議、決定し

第四条　本研究所は、その目的（第三条）を遂行するため、左の事業を行なう。

①　朝鮮に関する総合的研究
②　各種の研究会の開催
③　各種の講演・講座・講習会の開催
④　定期刊行物の発行
⑤　各種単行本・研究紀要、年鑑・便覧類の発行
⑥　関係資料の蒐集
⑦　関係研究機関、団体との国際的、国内的交流
⑧　各種委託調査・委託翻訳の実施
⑨　研究者の養成と在外研究の便宜供与
⑩　その他必要なる事業

第三章　構成

第五条　本研究所の構成種別は次の通りとする。

1.　所員　本研究所の目的に賛同し、所員年額金三千六百円を納め、目的達成のため一定の義務を負って参加する者

2.　賛助所員　本研究所の目的事業を賛助し、会費年額金一万二千円以上を納めるもの

3.　顧問　本研究所の活動の大綱について助言し、

の水準向上に資することによって日朝友好に寄与する。

Ⅱ.1 規約改正について

a. 経営部門と研究部門を構成上明確にする

b. 従って全面的に改正する

c. 多少頭の部分が大きくなるが運営上の必要を考え、理事会決定にもとづき、作成した

Ⅱ.2 規約改正案

第一章　総則

第一条　本研究所は暎朝鮮研究所といい、事務所を東京都におく。

第二条　1.本研究所は、朝鮮に関する各分野の研究者によって構成される民間研究機関である。

2.理事会の議決を経て、必要の地に支所をおくことができる。

第二章　目的と事業

第三条　1.本研究所は、日本人の手による、日本人の立場での朝鮮研究を目的とする。

2.本研究所は、朝鮮研究者を広く結集し、朝鮮に関する諸般の研究を行ない、その成果をひろめ、朝鮮研究

ｂ上半期予算案

収入　22/11 ～ 23/4		支出	
賛助会費	六〇〇・〇〇〇	事務所費	三〇〇・〇〇〇
所属費	一八〇・〇〇〇	圭務費	一五〇・〇〇〇
月報	三六〇・〇〇〇	人件費	二七〇・〇〇〇
事業収入	一二〇・〇〇〇	研究助成	三〇〇・〇〇〇
寄付金	二四〇・〇〇〇	資料費	二一〇・〇〇〇
		返済金	一八〇・〇〇〇
		その他	九〇・〇〇〇
計	一・五〇〇・〇〇〇	計	一・五〇〇・〇〇〇

下半期予算案　上半期予算案の一割増とする。

・15・

I 3. 財政計画案

3月間予算案（年間予算）

収入	入		支出	出	
所費	三〇・〇〇〇		事務所費	五〇・〇〇〇	
賛助会費	一六〇・〇〇〇		資料費	二〇・〇〇〇	
寄付金	五〇・〇〇〇		研究助成費	五〇・〇〇〇	
購読料	六〇・〇〇〇		事務費	六〇・〇〇〇	
事業収入	二〇・〇〇〇		人件費	五〇・〇〇〇	
計	三二〇・〇〇〇		印刷費	六〇・〇〇〇	
			雑費	一〇・〇〇〇	
			返済金	二〇・〇〇〇	
			計	三二〇・〇〇〇	

・14・

F 学術交流

全国的な学術交流をするため、まず調査・打合せの必要があるので、小人数の代表を派遣するため受入方を要請する。

G その他事業

1 創立一周年記念研究募金活動・・・・・・目標一〇〇万円

2 複刻版の発行準備

3 名簿別の懇談会へ第一次十一月下〜十二月中）の開催

4 日朝文化会館の建設に関する企画を立てる

- 13 -

37（178） Ⅲ　定期総会資料

③資料集　①旬報　四ページ　三〇〇〜五〇〇部
　　　　　回問題別　新しい分類法による
　　　　　㈢文献目録　領布会方式
　　　　④委託研究・翻訳・出版
　　　　⑤翻訳月報の発行

D. 共同研究事業

1. 各種研究機関との交流
2. 全国各県の郷土史研究会・サークル、友好組織に呼びかけて、各地における〃日朝交渉史〃の共同研究をはじめる。
3. 日本における朝鮮人殉難史の記録を作成することを、全国的に呼びかけへ民主団体その他へ〕る。
4. 全国に学生論文懸賞募集を企画実施する。

E. 普及活動

1. 普及シリーズ（現在案　八冊）....独算制
2. パンフ　（現在進行中〃日韓会談〃）....独算制
3. 文物展示会・書籍長.....共催
4. 日朝問題通信大学（スクーリングを含む）
5. 友好ハンドブックの作成
6. その他各種催しと書籍活動

文化遺産委員会

科学技術部会

3. 専門家集団によるシンポジウム

　専門家によるシンポジウムの開催 ①連続シンポジウム（一本にまとめる）
　　　　　　　　　　　　　　　　②テーマ別

4. 朝鮮語研究の諸問題

① 講座の常設（現在初級第二期）

　　　　　　　　　　　初級商業コース
　　十二月より
　　　　　　　　　　　中級一般コース

② 語学研究会の結成

　講座参加者および所員より構成し、研究と普及の中心にな

　る研究所の構成機関とする。

　年間会費二五〇円

C. 研究発表について

1. 朝鮮研究月報の定期刊行

　四〇ページ　毎月二十五日発行

　当面三〇〇部の固定読者

　編集委員会の確立

2. 公開講座 ⑦月一回定期的　五〇名位の規模
　　　　　　④委員一回　　　　一〇〇名位の規模

㈤単に資料を分類するだけでなく、項目別の資料カード、文献を作成し、本年度中に、「朝鮮政治・経活大鑑」をまとめることを目標にする。㈥この作業は、朝鮮語のできる所員を中心に定期的な調査活動委員会を開き、具体案を検討、実践する。㈢前年度提出された図書規定の実現化（財政的問題、予算措置を行なう）、所員の研究会を定期的に行なう。これは前年度の経験を生かし、所員の問題意識をつねに明らかにし、研究活動の焦点を絞ばせる。

2.部門別研究会の組織
分野別の研究会を前年にひきつづき組織する。

〈現在進行中〉

教育問題研究会㋑教育学者中心のもの㋺現場の教員まで含んだもの

〈具体化する条件のあるもの〉

翻訳委員会〈メンバー五名月二回〉

朝鮮戦争史研究会〈メンバー八名臨時開催〉

経済・貿易研究会〈経済問題と工・農業問題に分ける〉

近代史研究会〈史的概観・テーマ別研究とに分ける〉

書誌学に関する研究会

〈希望〉

朝鮮民主主義人民共和国研究の部会

I. 2. 研究事業活動案

《本年度の具体的課題》

A. 序 大綱

① 研究と普及の両活動を推進する

② 日本における朝鮮研究の水準を反映する機関とする

③ 民間研究機関として、存立する現在的意義すなわち《研究の自由》をまもり、ひろげる立場を明らかにする

④ 以上のうえに立って、対外学術交流の事業に着手する

B. a. 研究活動の基本

理論創造の活動は、原則として、縦の流れを追求することによって、歴史的蓄積を継承化し、未来へつながっているという点を認識することが第一である。そのうえに立って、当初の現代朝鮮の研究を深めつつ、従来の歴史的研究と結合、統一させて行くために努力する。

B. b. 研究活動の具体案

1. 基礎的研究とその作業

研究の基礎となる、資料整備を中心とした調査活動を持続的に行ない、①資料センター 予測した地ならしを二の一年で完了する。

- ? -

（8）

当初、朝鮮研究（主として現代研究）に関心をもつ人々にすべて呼びかけて、集ってもらうという形で発足した。したがって、性格からいうと、専門的研究所というよりは、研究者の懇談の場・協会・学会とでもいう色彩に傾いていた。各人の研究所に対する関与の仕方も、熱心な中心グループと、ゲストという匂いが強かった。これを漸次改善していくこと。

本格的な研究所体制を目ざして一歩一歩構成していくこと。

運営上のスタッフと研究上のスタッフと、発表普及上のスタッフとに、従来より一層専心的な分担区分をつけること。

研究と、発表と、経営との、三つの分野における活動を体制的に確立すること。

（以上）

（ワ）

スポンサー・政府資金・特定団体の支援の三つとも困難なこと。

しかし、往々にしてありがちな、朝鮮人の団体の支援によりかゝる形はとらないで一年間、ほとんど自力で、また日本の特定の部分のどこにも特別の世話にならずに、不充分ながら頑張り通したこと。

現状の大部分は、大方の援助を受けつゝも、主として理事長が支出し、専務理事が転がすということであった。

これを

集団の努力にかえること

まず第一に、金を出しあうこと。

次に、広く賛助する人たち（賛助会員・月報購読者等）をつのりあうこと。

みんなで考え行動すること。

根本的には、「研究とは本来、金を費うもので、金をうみだすものではないし」という、多くの研究者が身につけている甘ったれた考えを直すこと。

（五）　構成と人事について

研究上も、運動面でも、大衆の直持の支持なしに至営できないこと。

（6）

地主義への対立の萌芽を持っていること。それを、運動と密着しつつ、どう研究にまで高めるかという問題

研究生の制度

朝鮮事情普及の会のようなもの（仮称）

（四）　朝鮮研究が経済的に自立しうるかどうかの問題

研究会ではなく、研究所として経営すること。

極めて困難なこと。

しかし、不可能ではないこと。

可能にしなければならぬこと。

可能にするための具体的な方途。

研究所の経営を通じてみれば、

基金なくして発足したこと。

賛助会員がなかなか組織できないこと。

読者すらきわめて広がらないこと。

在日朝鮮人の支持率が高いこと。

経営手腕のある役員が居ないこと。

「日本人の手による、日本人の立場での朝鮮研究」という設立趣意の方針の再確認

（ち）

一丘向になされた特色ある成果

「朝鮮研究史シンポジウム」

「吉学講座」

朝鮮科学院との連絡・資料交換

若い研究者の結集

（三）　朝鮮研究における普及の特殊な意味

朝鮮研究の裾野を広くすること。

若い研究者を養成し、援助し、積極的に押し出すこと。

朝鮮研究に関心を持つという。たゞそれだけのことですらが、大きな意味をもつこと。

「後継者のいない学向」（金沢庄三郎）の言葉の意味。

普及シリーズ・公開講座・律々の啓蒙・宣伝的活動の重要さと、それを研究の名に小さわしい水準にまで高めることの努力

朝鮮研究なる研究活動と、日朝友好運動との結合せ、研究上、不可欠のものであること。

朝鮮に興味と関心を持つということ自体、すでにその中に、植民

らず、この二つは、方法論も、学問的気風までも異質のものとして互いに背中を向けあっていること。

この状態を改善する必要。

しかし、それは歴史的研究の側から推進されそうもなく、主として、現代研究者側からの努力によって打開されねばならぬこと。

かつ、この縦と横との結合がない点をねらって、その結合をアメリカの資金援助により、アメリカの立場で推進しようとする動きが、現に中国研究の分野で現われている今日、特に重要な意味をもつこと。

ここでも「日本人の立場」という学問的な主体性が極めて厳粛に問われること。

同時に、日本人の侵略的立場での研究と、厳然と対抗していく必要があること。

〈田中直吉氏のソウル事件〉

また現代古界の研究の中で〈国際政治・国際経済・現代日本の政治・経済問題・教育問題・思想・文化問題の研究の中で〉朝鮮だけが欠落しがちな傾向を是正する努力。

この集中的なあらゆれとして語学の古界における朝鮮語の占める当然の位置を主張する努力。

（3）

朝鮮研究は、遠いアルゼンチンの研究・アラスカの研究、あるいはコンゴの研究、ないしはイタリアの研究などと、全く炎を異にするものであること・

朝鮮は、地理的にも文化的にも、最も近い国であるというだけでなく、ある時期は朝鮮は日本の師であり、ある時期は日本の植民地であったという、歴史的な関係。

いわば、日本民族が、よかれあしかれ、朝鮮に対して自らとった歴史的行動を含めて研究するということでなければならぬこと。

近代史の範囲内でいうならば、日本の朝鮮に対する植民地支配についての内省なしに朝鮮を研究するということは、ありえないことであること。

つまり、朝鮮民族に対する日本民族の責任を明確にすること。そのことなしに、日本自体の将来を主体的に決定し、きりひらいていくことはありえないこと。

キューバに対するアメリカ、アルジェリアに対するフランス。その責任の不在、認識の不足、世界史の発展に対する盲目。この自覚の上に立って、朝鮮研究が日本それ自体にプラスになること

現代研究と歴史的研究が、充分に結合されていないうらみも、また存在すること。特に朝鮮研究においては、この縦の線と横の線が交叉していないのみならず、単に扱う対象の時間的な相違にとどま

（2）

このような情勢の中で　日朝鮮研究所が発足し、一年の実績をも
った。

今、改めて、研究所の性格と課題を、検討する必要があること。

（二）　朝鮮研究の本質と研究所の性格

日本における朝鮮研究が全体として弱く小さい実情。

特にその中でも　現代朝鮮の研究がもっとも未開拓である実情。

この現状の改善のために

しかも、朝鮮人研究者の努力の成果の上にあぐらをかくのではな
く、日本人自らの立場による努力で研究をすゝめていくために研究
所が設立された。

この「日本人の立場」でということは、一年間の圣験で、その重
要性がますます明らかになってきた。

それは単に、政治的ないし民族的立場でいわれるだけではなく、
「日本人の立場」という立脚点は、研究対象の選択・対象へのアプ
ローチの仕方、時としては、研究の方法論上の問題までに関すること
がらであること。

また、それは、現代研究のみならず、歴史研究においても重要な
ことがらであること。

なぜ、日本人の主体的立場からする研究が必要なのか？

一九六三年度の研究事業計画について

I.1 問題提起 研究所の課題と性格について

(一) 過去一年間における状況の推移

最近、日本の中での朝鮮に対する関心の急速なたかまり。

特に、日韓会談の問題と関連し、つっこんだ知識・正確な情報・そして科学的な解明が渇望されはじめていること。

日本人の朝鮮観そのものもしだいに大きく変化しはじめていること。

と、しかし、まだ模糊としていること。

この要望に対して、積極的に答えて材料を提供しているものが、大半は在日朝鮮人の努力であること。

日本人自身の手による資料提供の努力がまだ極めて少ないこと。

なかんづく、通俗的な解説以上の研究的な資料提供がすくなくないこと。

日本人研究者の国民の要望にこたえようとする努力が微弱であること。

一方、権力の側における朝鮮研究は、それ相応の進展を示している

ること。

(1)

朝鮮貿易月報

日本と中国　農民新聞　근로자

日本と朝鮮　労仂新聞　당사업

日本とベトナム　祖国統一　평화와사회주의제문제

自由民主党　AAれんたい　경제지식

社会新報　조선예술　말과글

アカハタ　조선문학　조선철학

ジャーナリスト　인민창작　조선어학

自由人権新聞　인민교육　월간労仂問題

文学新聞　조선녀성

日中貿易　력사과학

民主青年　과학원통보

民主朝鮮　조선어학

韓国日報

ソウル経済新聞

韓国新聞

韓国経済新聞

朝鮮新報

朝鮮時報

民族教育

朝鮮商工新聞

統一朝鮮新聞

VI

二、寄贈図書

朝鮮研究月報第十一号（記念号）を参照のこと。

Ⅵ 一 交換資料

丸山嘉兵衛
徳光千代和
飯田助丸

経済政策研究会会報
経済政策通信
国民文化
世界資料ニュース
アジア文化図書館
日曜クラブ
アジア地域綜合資料講座義
日蘇経済資料集
日蘇経済速報
原水協通信
機関紙と宣伝
宣伝資料
平和日本
平和活動の指針

日朝貿易
経済情勢
One Korea
沖縄幸情
機械紙通信
朝鮮通信
コリア・ニュース
亜細亜通信
アジア貿易
日本の動き
マスコミ・ジャーナル
自由法曹団団報
アジア・アフリカ通信
新しい社会主義のために

綜合聾国資料
ニュース・レター
海外技術協力
エカフェ通能
東亜経済研究
新しい世代
月刊　朝鮮資料
朝鮮通信資料
月刊アジア・アフリカ研究
アジア・アフリカ
今日のソ連邦
漢陽

親和
国際問題
統一評論
部落
国際問題研究所記要
韓国展望
朝鮮に関する資料
青筐
朝鮮学報
人権のために(季刊)
アジア経済
朝鮮研究年報
朝鮮文化
アジア・アフリカ経済特報

高津正道

山田典吾

宮腰喜助

津京良次

吉田嘉清

石村英雄

飛鳥田一雄

日信貿易局

第一通商

東海商事

日朝貿易会

信用組合協会

同和信用

在日朝鮮商工会

総連中央

その他4

三条美公

平岩巌

古谷荘一郎

桜井　皓　　　　アジア経済研究所

建部喜代子　　　国立国会図書館

新田　誠　　　　医師

中尾猛介　　　　日朝協会兵庫県連合会事務局長

林　栄介　　　　教員

稲田ルイ　　　　国民教育研究所

〈賛助会〉

野坂正三

佐藤寿子

大河丸伸男

井上正也

志賀祐幸

桜井啓敏

山田政敏

金子政三

田尻愛義

林畑勇弘

黒田寿精

久保田畳男

細迫兼光

準所員

村松武司　ダイヤモンド編纂部
東上高志　部落問題研究所
渡部学
中村崇孝　名古屋大学教授
杉山茂雄　法政大学講師
山下甬　化学研究所
大溝和昭　経営研究ビューロー
上原淳道　東京大学助教授
柴田穂　産業経済新聞外信部
鶴田三千夫　薬業
白井博幸　東邦商会
佐々木隆爾　京都大学大学院
飯塚爾　読売新聞論説委員
大村益夫　教員
梶井陟　教員
大槻健　早稲田大学大学院
鈴木明良　京都大学大学院
岡本明男　機関紙通信社
平野治
桑ケ谷森男
藤川朝夫　教員

武田幸男　東京大学大学院

宮田節子　明治大学大学院

菅野裕臣　敎育大学

楠原利治　東京大学大学院

奥村皓一　東洋経済記者

木元賢輔　朝鮮研究所事務局長

宮崎吉政　読売論説委員

仁尾一郎　朝日論説委員

新井宝雄　毎日論説委員

小林左一

安江良介　岩波書店編集部

梶村秀樹　東京大学大学院

萩野芳夫　自由人権協会理事長

小沢有作　国民教育研究所所員

岡本三郎　日中貿易促協会

植村進　日朝協会愛知県連合会事務局長

塚本勲　大阪外国語大学講師

中野礼一　日朝協会福岡県連合会事務局長

堀江壮英　日朝協会大阪府連合会事務局長

三品彰英　大阪市立博物館長

福永孝雄　名古屋大学大学院

〈所員関係〉

所員幼方直吉　　中国研究所理事

小田切秀雄　　　法政大学教授

金沢幸雄　　　　フンボルト大学講師

小林　勇　　　　日本労働組合総評議会国際部

佐藤剛弘　　　　日朝貿易会

新名大夫　　　　政治評論家

竹本賢三　　　　「アカハタ」編集部

鶴崎友亀　　　　社会新報編集部

唐笠文男　　　　日朝協会事務局長

中野良介　　　　日本機関紙記者会幹事

新富淳良　　　　早稲田大学講師

土師政雄　　　　数学教育協議会

林　茂夫　　　　日本平和委員会理事

原　一彦　　　　全日本金属鉱山労働組合連合

牧瀬恒二　　　　沖縄返還協議委員会

宮原正宏　　　　日朝貿易会

宮森繁　　　　　世界政治資料編集部

村上貞雄　　　　日朝貿易会

村岡博人　　　　共同通信社社会部

山本　進　　　　エコノミスト編集長

・16・

第二回　（197）　18

理事

森下文一郎　日本ブルガリア反好協会理事長
蠟山芳郎　アジア・アフリカ研究所理事
石野久男　日韓会談対策連絡会議事務局長
印南広志　在日朝鮮人帰国協力会事務局長
小松久慶　毎日新聞社エコノミスト編集部
岡誠四郎
高橋莊　原水爆禁止日本協議会専門委員
竹内好　中国文学研究者
畑田重夫　国際政治学会理事
星野安三郎　東京学芸大学助教授
苛藤秋男　北海道大学教授
指川謙二　鈴木プロ株式会社社長
新川伝助　北海道大学水産学部講師
鈴木朝英　北海道大学教育学部長
玉井茂　岐阜大学教授
中井宗太郎　立命館大学教授
武藤守一　立命館大学教学部長
和田洋一　同志社大学文学部長

会計監査

平原直　荷役研究所所長
牧野武人　日本アジア・アフリカ連帯委員会代表委員

Ⅴ―一. 所関係者

〈役員〉

顧問　青山公亮　明治大学教授

　　　上原専禄　国民教育研究所

　　　末松保和　学習院大学教授

理事長　畑中政春　日朝協会理事長

　　　古林喜楽

副理事長　旗田巍　東京都立大学教授

　　　古屋貞雄　弁護士

　　　鈴木一雄　日中貿易促進会専務理事

　　　四方博　岐阜大学学長

　　　寺尾五郎

専任理事　相川理一郎　日朝貿易会専務理事

　　　秋元秀雄　読売新聞社経済部

　　　安藤彦太郎　早稲田大学教授

　　　川越敬三　ジャパン・プレス・サービス社

　　　田辺誠　衆議院議員

　　　中神秀子　「新しい泉」編集部

　　　野口肇　日本平和委員会理事

　　　藤島宇内　AA作家会議日本協議会

朝鮮研究月版　　第七、八号

朝鮮研究月報　　第九十号

所内報　　　　　二回

南北朝鮮資料　　二部

丁奉山　　　　　一部

無生氏著書目録　一部

コピー　　　　　一

《大口配布先明細》

〈書店〉	納品総計	返品
ウニタ書店	140(10)	30
友好堂	35	22
内山書店	50(10)	10
大安	25	24
極東書店	62(5)	39
東大生協	30	4
芸能書房	15	7
美和書店	25(5)	0
糸華書林	32(3)	23
東京堂	10	0
計	424	159

〈在日朝鮮人〉	納品総計	返品
韓口書籍センター	15	
朝鮮大学	140	
東京朝高	45(10)	返品三冊のみ
総連南大阪	15(11)	
〃 北大阪	40(11)	
〃 新宿	25	
計	280	

〈組紘〉	納品総計	返品
日朝協会 京都	30(11)	
大阪	64(10)	
群馬	140(25)	
愛知	60(10)	
滋賀	10(5)	（返品なし）
新潟	50(5)	
仙台	25(11)	
兵庫	23(5)	
社会党口民運動	25(5)	
〃 カリ.ダイ特委	90	
共産党誠員団	38(6)	
日韓対運	15	
平和委員会	20	
計	590	

Ⅳ. 1 朝鮮研究月報の配布状況

《月報の配布状況》

配布先	配布冊数	備考
所員	79	末納 17.400
準所員	21	払込金なし
賛助会員		
月額 3.000	7	
2.000	1	
1.500	3	末収 25.500
1.000	1	
500	9	
申込のみ予定者	12	入金のない人
個人定期購読者	122	末納者60（全額末納39）前納額 29.310 末収〃 30.920
大口配布先 ※	（月平均）	末収
書店	53	45.085
組織	118	72.655
在日朝鮮人	55	27.570
寄贈交換	（総数 158 ）	
学校	11	
研究機関	18	
団体・会社	41	
日朝韓団体	6	
在日朝鮮人	46	
外国機関	15	
個人	21	

·11·

Ⅲ. 3 財政報告：資産明細

＜ 未 収 金 明 細 ＞

所　費		17,400
賛助会費		25,500
月報購読料	個人	30,920
	店組織	72,655
		146,475

＜ 在 庫 明 細 ＞

図書類		34,552
月　報	1. 2. 3. 4. 5/6	36,000
		70,552

＜ 資 産 ＞

図書資料類	30,000
什器備品類	47,000
その他	10,000
	87,000

Ⅲ.2 財政報告：負債明細

＜ 未払金明細 ＞ 　（10月末現在）

印刷費	不二印刷	62,000
	セトタイプ	40,210
資料費	韓国日報社	13,000
	亜細亜通信	4,500
	韓国書籍センター	3,938
家　賃	9月,10.11月分	50,000
人件費	（3ヶ月半くらい相当）	146,000
電話料	10月分	3,025
歩合金	田中氏	6,350

＜ 借入金明細 ＞　　329,023

古屋氏	~~150,000~~ 100,000
森下氏	30,000
宮田氏	1,000
その他（未来）	1,808
（社会）	300
（新日本）	34,944

＜ 仮受金 ＞　　~~168,052~~ 318,052

月報購読料（前渡金）	29,310

Ⅱ.1 財政報告：収支明細

項目	S36年11月	12月	S37年1月	2月	3月	4月	5月	6月	7月	8月	9月	10月
（収入の部）												
前月くりこし	5,865	4,363	19,874	8,588	8,464	12,816	21,590	39,749	6,247	17,756	24,657	3,121
会費	1,200	37,900	10,600	3,400	6,000	1,200	2,000	3,000	1,500	1,200	1,600	1,000
助成金	500	17,000	2,000	2,000	7,500	41,500	235,500	1,500	23,000	92,500	5,500	7,500
事業収入	4,200	22,073	21,470	90,032	98,680	92,992	43,610	38,580	34,610	46,050	19,640	44,510
寄附金	0	142,800	3,800	3,000	40,000	17,400	65,000	18,100	0	8,000	0	200,000
雑収入	1,200	436	20	785	140	5,055	175	70	95	50	50	65
借入金	0	0	42,000	10,040	161,000	71,500	111,000	111,000	100,000	100,000	0	(60,000)→150,000
計	12,965	224,572	104,764	117,845	321,784	242,463	362,775	211,999	65,452	247,800	51,447	426,196
（支出の部）												
交通費	150	3,875	3,170	3,640	4,875	5,245	7,140	9,775	8,005	7,030	3,235	11,235
通信費	2,530	18,130	2,770	18,765	16,983	18,217	23,393	23,167	19,418	21,188	11,018	29,276
事務用品費	2,690	7,078	5,030	2,787	3,701	2,210	3,575	2,182	1,285	3,489	943	6,245
光熱費	1,162	2,453	3,738	3,919	4,271	600	1,503	636	988	545	955	625
資料費	880	10,511	1,590	2,710	5,814	10,226	2,625	6,699	1,350	7,020	2,150	2,625
印刷費	0	66,250	200	3,000	60,000	45,000	86,000	48,100	3,000	0	0	210,000
渉外費	1,190	17,511	13,858	1,060	9,364	10,160	50,000	9,273	11,430	19,620	5,100	10,160
旅費	0	0	0	16,260	1,600	46,020	6,020	3,580	0	0	0	0
家賃	0	20,000	20,000	10,000	40,000	20,000	20,000	0	40,000	40,000	30,000	30,000
人件費	0	40,000	30,000	5,000	40,600	36,480	57,000	0	20,000	0	20,000	110,000
什器備品費	0	0	0	3,000	0	350	0	0	1,000	3,000	0	0
会場費	0	17,500	0	0	0	0	0	0	500	2,000	1,900	2,200
諸手当	0	0	1,000	48,000	56,000	14,440	20,000	100,000	0	1,790	0	1,900
借入金	0	1,000	0	0	0	10,800	48,600	0	28,800	100,000	0	100,000
事業支出	1,410	320	340	340	750	1,125	170	340	240	1,220	945	5,260
雑支出												874
計	8,602	204,698	96,176	109,481	308,968	228,873	328,026	205,251	476,696	1,026,696	487,326	420,080

内(1,560)立替

《その6 朝鮮語研究の経過》

A. 中級学習会（四・二三～七・三一 週二回）
　　講師　菅野裕臣氏・金　礼坤氏

B. 初級速成講座（七・一六～一〇・三一）
　　講師　菅野裕臣氏

C. 初級・中級講座（一一・初～　　）
　　講師　菅野裕臣氏他

D. 中級輪読会　（一〇・一九～　　）
　　テキスト　抗日パルチザン回想記

E. 翻訳研究会　（一〇・二〇～　　）
　　テキスト　朝鮮近代文学選集

Ⅱ・三．刊行物について

当面の朝鮮に関する資料第一集
　　　　　　　　　　　☆月報の配布
　　　　　　　　　　　状況は後述
当面の朝鮮に関する資料第二集
　　　　　　　　　　　の表参照の
　　　　　　　　　　　こと．
朝鮮研究月報　　第一号
朝鮮研究月報　　第二号
朝鮮研究月報　　第三号
朝鮮研究月報　　第四号
朝鮮研究月報　　第五・六号

《まとめ》
成果①翻訳研究グループの組織（菅野、中神、梶村・梶井・大村）②日本人による講座の開催　③朝鮮語テキストの編輯

朝鮮研究の基礎的条件である朝鮮語を所員がもっと学ぶ必要がある。講座に参加したのはわづかに二名であった。
朝鮮語を学ぶことの意義を一層深く認識することが次一、その上に立って普及活動へ（中国語学習運動の経験に学ぶこと）。

《まとめ》
1．研究発表を具体化した唯一の事業として、発行してきたことの意味
2．編集の面で、委員会の機能が弱く、方針が一貫せず、経営面との関係もあり、全体として首のびしていた。
3．内容の問題もあるが、読者を作る仕事に所員の多くが最大限の努力をしたかどうか

・8・

六・七　丁茶山の思想とその評価について（月報No.9・10所載）

　　　　　　　　司会　　梶村秀樹氏

《その4シンポジウム(II)の経過》

第一回　明治期の歴史学を中心として（月報発表）

日本における朝鮮研究の蓄積をいかに継承するか

三・二二　ゲスト　　旗田　龍氏

第二回　朝鮮人の日本観　　　　　　（月報発表）

四・二七　ゲスト　　金達寿氏

第三回　社会経済史学をめぐって

六・二二　ゲスト　　四方　博氏

第四回　日本文学にあらわれた朝鮮観（月報発表）

七・三一　ゲスト　　中野重治氏

第五回　朝鮮総督府の調査事業について

九・二一　ゲスト　　善生永助氏

《その5．その他の借しの経過》

五・一八　藤島宇内氏AA作家会議・訪朝報告

八・二七　畑田重夫氏モスクワ大会およびソ・中研

　　　　　究機関を訪問・報告会（参院議員会館）

《まとめ》

　一貫したテーマとレギュラーメンバで行ってきたイヤー・ワークの一つである。研究所の存立を、研究内容で示したものであり所員がグループ（上原、旗田、幼方、安藤、藤島、宮田——梶村、小沢、中神等）をなし共同の研究事業にとりくんだ点評価すべきである。さらにこのテーマは、解決すべき日本人全体の問題であることから、研究者らしい仕事といえる。

《まとめ》

　関西の若い研究者に多少異論もあるようであるが直接に反応を受けてない。

・7・

八・中国研究におけるフォード資金の受入問題

九・八・廿三　翻訳委員会テーマ方法等打合会

六　朝鮮戦争研究会

≪その2.公開講座の経過≫

第一回　みてきた北朝鮮（雑誌会館）
　五・二六　藤島宇内氏　約一〇〇名参加

第二回　みてきた南朝鮮（雑誌会館）
　六・二三　仁尾一郎氏　約八〇名参加

第三回　憲法改正と日韓会談（雑誌会館）
　八・二六　星野安三郎氏　約三〇名参加

第四回　みてきた北朝鮮（雑誌会館）
　九・二六　高沢義人氏　約二〇名参加

≪その3.シンポジウム(エ)の経過≫

三・六　経済的側面よりみた日韓交渉（月報No.2所載）
　司会　野口肇氏

三・二二　民族教育の問題をめぐって（月報No.4所載）
　司会　野口肇氏

五・二　日朝貿易の問題点へ（月報No.5・6所載）
　司会　秋元秀雄氏

主として企画にもとづき所員が用いてきたこと
を認め・定期化をめざしたい。

≪まとめ≫
対外普及活動としての意義大。
所員の参加が極少、なぜか。

参加者の主な層
1.月報購読者　2.新聞（アカハタと朝日が主）をみて参加
3.朝鮮人　4.学生　5日朝協会会員　5その他
財政的には三〇名で黒字（事業としては成長株）

≪まとめ≫
月報編集上の〝テーマ〟に従つて企画
この実行の中で・専門家の協力を得・また分野
別の研究者を知る。その殆どが、所との関係を
強める（所員となる場合も多）

二・十三・二十七　編集会議

四・五〜七　「日朝協会全国大会」（比叡山）

四・七　関西在住所員との懇談会（京都）

八〜十　天理・名古屋行

五・二　拡大事務局会議（研究所）

六　第二回常任理事会（名古屋事務所）

六・二　第一回企画会議（研究所）

五　所内報発行

七・三　第二回企画会議（研究所）

八・六　金沢所員送別会（YMCA）

十・一　第三回在京理事会（名古屋事務所）

Ⅱ、二、研究活動の経過と総括

《その1 研究会の経過》

六・十三・十九　高度経済成長政策と日韓会談

六二・二・六　朝鮮労仂党第四回大会に出席して（西沢富夫氏）

七・十六　南朝鮮の学生運動

七・二三　南朝鮮の農業問題

八・大　韓国のジャーナリズム

研究上の方針については、総会方針を具体化しえた点成果であったが、実践面では所員の意志統一が不十分であり、従って所員の能力を全面的に発揮してもらえなかった。

対外関係は順調・とくに朝鮮科学院との交流が開始された点・対内的には若い研究家の協力が大きく・新しい前進の目となっている・朝鮮研究者の分布状況を正確につかみ、それらの人々の総動員計画ができなかった。それは運営の面でも同じであった。

《まとめ》

所内研究会として唯一のもの。

定期的に開催できなかった。

①所員の問題意識が、把握不十分

②テーマの問題

③出席が少い

④提案者すら欠席のときもある

Ⅰ. 四. 研究事業活動の執行態度

〈執行態勢〉 〈第一回理事会決定〉
1. 常任理事会は月一回とし、月初めに開く。
2. 毎週一回火曜日午前十時から十二時までを定例所員連絡会とし、時の必要に応じて・出版運営等の稽務についてのうちあわせ・小研究会等をもつように機能的なプランをたてる。
3. 所員のうち、三〜四名が毎週日をきめて・一日乃至半日事務所につめるような態勢を早急に確立する。

以上

Ⅱ. 一. 所活動の経過と総括

《経過》

六一・十二・十一　設立総会・祝賀会（銀座精養軒）
　　　二六　第一回理事会
十二・五　所員会議（Ⅰ）—六二年四月まで毎週火曜
　　　十三　年鑑定期刊行物委員会（研究所）
　　　二八　研究所忘年会（夕なぎ）
六二・二・六　第一回在京理事会（古屋事務所）

《まとめ》

研究者の集りになつてないという構成上の弱点があった。全体がゲスト集団的傾向をもち、全力を結集するに至らなかった。

しかし、巾広く研究所に参加した人々の、個々の関心・研究活動等は、所を支え、日本の朝鮮研究を支えかつ発展させるための一条件であると考える。

ニ、「研究所案内」（趣意書・計画書・申込書等々をまとめたしおり）を至急に印刷する。

ホ、所報の定期購読者を大衆的に募る。

月刊で月端読料一五〇円（含郵送料）の予定。

I・二、一九六二年度の研究発表についての方針　〈第一回理事会決定〉

〈刊行物についての計画〉

(一) 定期刊行物

1. 所報

イ、一月から月刊で定期刊行をかかさぬようにする。

ロ、毎号、タイプ写植で四〇頁前後、最低一〇〇〇部印刷する。

ハ、読者対象としては、労組、平和団体の活動家・学界・朝鮮に関心のある学生層等を考える。

二、一般の研究所発行のような論文集でなく、資料を多くとり入れ時事解説風のものを加え、適宜バラエティをつける。

ホ、総評傘下の単組や日朝協会の下部組織に入れてもらうよう上部団体と交渉する。

ヘ、購読料は前項の通り。

ト、適当な月刊誌をもっている出版社の販売ルートにのせてもらうよう心当りをさがす。

チ、編集委員会は月二回開く。

2. 旬刊資料

一層なまのニュース的なもの。これが整理されて所報になる。

不定期になることを必ずしも非としない。

(二) 一般刊行物

1. 臨時増刊

所報の臨時増刊的なものを或いは、リーフレットなど適当なかたちで時に応じて出すこともある。このようなものの実費は購読料とは別につける。

2. 年鑑

3. 文献目録

(三) 編集委員

1. 定期刊行物　藤島（責任者）、秋元、川越、中神

2. 不定期刊行物　安藤、野口、森下ほかに、臨時機動的に、金沢、蝋山、その他が加わる。

・3・

（五）資料の蒐集
1.日本・朝鮮（南北）・諸外国の文献の蒐集と整理保存
2.資料センター・図書館として常設

（六）研究機関・団体との交流
1.資料、成果の交流（国内）
2.南北朝鮮の研究機関、団体との人的物的交流
3.国際交流と「朝鮮研究者の世界会議」を提唱開催

（七）委託調査、委託翻訳

（八）研究者の養成

（九）その他必要な事業

I.一九六二年度の財政方針
〈財政計画案〉（説立総会決定）
〈月間予算〈収入〉

賛助会員	A法人団体	一四五・〇〇〇
	B個人	五〇・〇〇〇
購読料	一〇〇〇部	一〇〇・〇〇〇
事業収入		五・〇〇〇
計		三〇〇・〇〇〇

〈支出〉

事務所費	四〇・〇〇〇
資料費	三〇・〇〇〇
研究助成	五〇・〇〇〇
人件費	四〇・〇〇〇
事務費	六〇・〇〇〇
印刷費	七〇・〇〇〇
雑費	一〇・〇〇〇
計	三〇〇・〇〇〇

〈財政問題〉（第一回理事会決定）
1.恒常的計画
イ、賛助会員を募ることに主力を注ぎ、財政の大半を賛助会費でまかなうように運営する。
ロ.日朝貿易会・在日朝鮮人団体等には夫々別個に相応の接渉をする。
ハ.理事、所員ともに賛助会員を募る仕事に早急にとりくむ。
（1）それぞれが賛助会員を募る
（2）それぞれが賛助会員になり得る相手を事務局に紹介する（名刺紹介なり電話交渉なりしてまとめるを事務局に任せる）。

年次報告
—経過と現状について—

I．一九六二年の方針
II．研究活動
III．財政活動
IV．朝鮮研究月報の現状
V．人事構成
VI．資料（交換寄贈）

一、一九六二年度の基本方針

〈事業計画〉　一九六一〜一九六二年

（一）各種研究会の開催

1．所内研究会
　イ．情勢分析研究会（所内）
　ロ．分野別研究会
　ハ．必要に応じ各部会

2．公開研究会

（二）講演・講座・講習会

1．講師の派遣
2．公開講座・ゼミナール
3．朝鮮語の講習会
4．以上を常設的、学院的なものにする

（三）定期刊行物

1．月刊の「所報」：編纂方針＝㋑情報資料の提供 ㋺論稿解説 ㋩研究成果の発表 ㊁翻訳
2．「経済資料」の定期刊行：編纂方針＝㋑経済実態 ㋺経済人の動向 ㋩文献の翻訳 ㊁諸外国の動向 ㋭その他

（四）単行本・研究紀要・年鑑・便覧類

1．研究紀要
2．時事問題シリーズ
3．年鑑・便覧・文献目録（編集委をつくる）

3．その他

日本朝鮮研究所創立一周年

第 二 回 総 会

1. 開 会 の 辞

2. 議 長 選 出

3. 理事長の挨拶

4. 年 次 報 告
  経過と現状・財政

5. 1963年度の研究事業活動計画案
  問 題 提 起
  活 動 計 画 案
  財 政

6. 規 約 改 正 案

7. 役 員 選 出

8 閉 会 の 辞

とき 1962/11/16

ところ 衆議院議員会館NO.1

Ⅳ　運営委員会資料

1968年

第1回運営委員会で決ったこと

2月28日 06於事務所

出席者, 井上学, 樋口雄一, 森下文一郎, 梶井陟, 比嘉俊爾, 大桜
善夫, 桜井浩, 梶村秀樹, 森下文一郎, 吉岡吉典, 古屋
貞雄, 奥本皓一, 宮田節子, 佐舞勝巳

議題
1 運営委員の担当決定
(イ) 編集委員会　渡部, 木元, 奥本, 駒井, 梶村, 吉岡, 比嘉
(ロ) 研究　〃　　宮田, 畑田, 桜井, 楠本, 鎌田
(ハ) 講座　〃　　小沢, 梶井, 大桜, 樋口, 井上
(ニ) 財政・事業　〃　森下, 宮田, 渡部, 武藤, 樋口(事業)
(ホ) 運営委員会の代表委員は互選によって, 全員一致で渡部学先生
　　が推せんされました。
(ヘ) 事務局長は総べての委員会に出席する。
　　各委員会の責任者は, 次の通り決りました。

○ 編集　正 渡部　副 木元

○ 研究　　宮田

○ 講座　　小沢

○ 財政・事業　森下

2 「所復」募集の件 (別紙参照)
　　説明のなかに出版計画を記入することを追加し, 早急に印
刷, 募集をはじめることになりました。

3 当面の財政問題と賛助会員募集の件

報告
(イ) 今年に入ってからの主な支払　　(ロ) 今年に入っての借入金

　1/6　朝鮮研究　　　520,000　　　畑田　　　180,000
　1/30　亜東礼返済　　100,000　　　森下　　　150,000(2/5已済)
　2/15　国際路線　　　100,000　　　吉岡　　　30,000(2/5に返済)
　2/17　敷金.その他　 300,000　　　　　　　　360,000
　2/20　書の用品など　100,000
　2/28　朝鮮の水産業　 40,000
　　　　　　　　　　 1,160,000

(ハ) 書面の支払い

3/10 { 300,000　新報社 ...
　　 { 100,000　大銭票 アカハタ
3/15 100,000　毎日
3/15 200,000　新報社
5/15 100,000　　〃

以上事務局長より報告があり、3/15日まで50万円の資金が必要であるが、具体的な対策は財務委員会で考えるとしても、主な財源は、賛助金と、所七などを集金、それにあてる。
賛助金の拡大は、早急に用紙を作成、運営委員はじめ、所員に配布協力を要請する、ということになりました。

4. 事務局員待遇改善の件
　具体的な金額などについては、財務委員会で検討し、運営委員会に報告、承認をえることになりました。

5　事務局体制整備の件
　事務局が二人になり、機動力が半減した（？）訪問者の応接など、運営委員の協力が是非必要となってきました。
　今迄次の方々が、自発的に協力の意向が伝えられました。

　月曜日午後　渋部　　　木曜日午後　権坂
　水曜日　〃　宮田　　　金曜日　〃　奥坂、桜井
その他、運営委員でなくとも、協力を頂ける人にお願いすることがきまりました。

6. このほか、『朝鮮研究』4月号の編集について岩子竜児の支援がおこなわれ、3/3に編集・研究の合同委員会を開き、早急に機能の回復を図ることをきめ、第1回の運営委員会を終りました。

○ なお、定例運営委員会は第2水曜日と第4水曜日と決定しました。従って3月は8日と22日　4月は、11日と25日となります。いずれも事務所でP6からです。

運営委員の名簿

小沢有作　埼玉県北足立郡朝霞町東朝霞団地 1の306

華島守内　小金井市芳原 1の561

梶井秀樹　練馬区上石神井 1の486 鹿沼方

渡部　学　練馬区西大泉町 2065

奥井皓一　藤沢市辻堂公団住宅 11の2の502

畑田重夫　横浜市保土ヶ谷区特場町 304

松井　浩　新宿区市ヶ谷本村町 42 アジア経済研究所　永田町コーポ2E

本元賢輔　世田ヶ谷区羽根木本町 2の35の4 松原荘

吉岡吉典　東村山市恩多 3の373の23

楠原利治　杉並区堀ノ内 1の217 みゆき荘

梶井　陟　北多摩郡保谷町 1616の1　ひばりヶ丘団地129〜3

武沢守一　京都市左京区浄土寺馬場町 24

大槻　健　新宿区下落合 4の1586

宮田節子　松戸市小山 82

樋口雄一　世田谷区上馬町 1の831

寿下文一郎　港区芝白金三光町 52

佐藤勝巳　豊島区雑司ヶ谷町 1の5208

比嘉佑爾　北多摩郡狛江町覚東 270 若葉荘

井上　学　杉並区高円寺北3の5の24高田荘

鎌田　隆　京都市上京区相国寺北門前下の町699山本方

　　　各委員会名簿

編集委員会
　　　奥林晧一，梶村秀樹，本元賢輔，林嘉宇内
　　　比嘉俊爾，吉岡吉典，渡部学．

研究委員会
　　　鎌田隆，楠原利治，桜井浩，畑田重夫，
　　　宮田節子．

講座委員会
　　　小沢有作，大槻健，井上学，梶井陟，
　　　樋口雄一．

財政・事業委
　　　樋口雄一（事業）宮田節子，武井守一，森下文
　　　一郎，渡部学．

[別紙]　　　　　　　　　　　　No.

（続）　日本朝鮮研究所「所報」募集についてお願い

記

一、金額　　　　　一、一二円

二、権利者　　　　年三回（御希望により現在から刊行できるといたします）

三、種類　　　　　次の三種類とする
　1. 一年より（　　　　　　　　　　　　　　　　　　）
　2. 二年より（　　　　　　　　　　　　　　　　　　）
　3. 三年より（　　　　　　　　　　　　　　　　　　）

四、　　　　　　　一日六円　（一〇〇円）
　一年より　　　　三五六円　（三五円）
　二年より　　　　三五五円　（三五円）
　三年より　　　　三〇〇円　（三〇円）

五、債務者

左記債務者は右の債務につき借用証書を払込金と引換えに債権者に差入れるものとする。

六、その他

イ、所債事務の処理については、所債管理委員会を設け、債権者のつごとにカード・システム化を作業化し、その他必要な措置を備えて、正確を期します。

ロ、この基金については、その散逸事務はすべて管理研究に価値あるものに援助し、その援助のあり方につき運営委員会で慎重に審議のうえ、大多数の委員会がこの執筆刊行流通について積極的主体的に取り組むものに限る（編集）ものとします。

三、募集事業の時期　昭和四十三年六月末日

右募集下記のものは右記の事業に記人のうえ御申込み下さい。

　　　　昭和四十三年三月　　　日

　　　　　　　　　　　　　　　　理事長　名誉　寺尾五郎（　）

　　　　　署名

　　　　殿

附記

右下のとおり右所債基金による出捐を左記の通り御願いいたします。

　　　　略

- - - - - - - - - - - - - （キリトリ線）- - - - - - - - - - - - -

　　　日本朝鮮研究所所債申込書

一、金　　円也（　口分）

　　内訳　｛　一口　金　円　口
　　　　　　二口　金　円　口
　　　　　　三口　金　円　口｝

右申込みます

　　　　昭和四十三年　　月　　　日

　　　　　　住所

　　　　　　氏名　　　　　　印

日本朝鮮研究所
理事長　寺尾五郎　殿

第9回運営委員会の決定　7/8　於研究所

出席者　樋口、鈴木、宮田、松林・西田・佐藤

報告

1. 神戸の西田氏より、2名の上京予定が5名に変更の連絡あり。

2. 7/7 事務局長が横田氏に面会。7/12の西田氏の会合に出席を要請。了解をとる。

3. 機関誌の印刷を活版で、タイプ写植とほぼ同じ 105,000円で、ひきうけてくれるところをみつけた。但し、支払条件は、2ヶ月間は、納品と同じに支払うこと。

4. 懸案の 500,000万円借入については、呉林俊氏の方から、1ヶ月はとまって欲しいとの連絡があり。従って、当面その方はあてにならない。

5. 6月中の借入金は、下記の通り。
林松武司 120,000　渡部学 100,000　樋口雄一 50,000
宮田昭子 50,000　合計 320,000

6. 7月下旬まで必要なカネ
(イ)機関誌 6月号支払 90,000 (7/25)　(ロ)同じく7月号の支払 105,000 (7/約)
(ハ)家賃・人件に(7月分)100,000 (7/約)　(ニ)事務局夏季手当 70,000
合計 365,000

注　6月中の借入金の用途は、機関誌5月号の支払と、資料集の支払をの他に当てられた。8月5日現在、6月号の支払と残り(50,000)と家賃・人件と(7月の)(一部払)の支払い終わり、7月号の支払(発行がおくれているため)と事務局の夏季手当は、カネがないので支払われていない。

7. 入管法改悪反対運動の現状 が 事務局長より報告(略)され、パンフレットの必要性が のべられた。

8 わかる朝鮮語

梶井運営委員の「朝鮮語テキスト」三者室にもちこみ、出版の話を受けてきたが、次のようなことで、ほぼ出版ができそうである。

(イ) 書名「わかる朝鮮語」　(ロ) 400円(1冊)×5,000部×0.8円＝160,000(印税)

(ハ) 初級・中級2冊出版予定　(ニ) 原稿は、10月わたし。(ホ) 発刊は3月予定

討論・決定事項

1 出入国管理法のパンフを作製する。目次作製担当者。佐林、梶井

2 資料「日韓口会の論談の在日朝鮮人の項」を1冊にまとめる。吉田、岡田

3 財政問題

　借入先を2々の検討し、財い委員会で技果をたてる。

　　　神戸西田氏との懇談会　　　於 5/2 15〜24さ半 某公例室

生庫者　板井・岡田・吉田・井上・樋口・梶井・小坂・鈴木・佐林・籠口
　　　西田春秋、平林、裕等、朴 (3者氏は、23さ頃参加)

記合の具体的内容については、梶岡法5月の「本記、差別発言問題と私とその反省」及び、籠田・吉田両氏の「反省」を参照

3

西田氏（たち）と研究生との詮合

7/13 於研究所 10時〜11時30

出席者　芦原・館野・内海・山本（以上研究生）　角田・岩田・井上（実）・樋口・
小沢・鈴木・伏名（以上運営委員）　井上マサ（元研究生）　佐々木・竹田
（以上レポルト社）　中沢（西田氏が帰ったあとに出席）

発言の主な内容

主に平林氏のおえたちと差別の現状が語られ、引続いて、山本研究生
（帰化した在日朝鮮人の子供）の生き方に詮合いが集中した。
一方、神戸の西田氏たちの帰りまぎわ（11時30分）にレポルト社の佐々木
氏より、突然「研究所をつぶしてしまわなければならない」との発言が
あり、その発言をめぐって、神戸の人たちから、佐々木氏にきびしい批判がな
されたが、帰神の時刻が迫り、充分な詮合がなされぬまま退席した。
そのあと、佐々木氏の発言をめぐり、佐々木氏と数名の運営委員との間
で「つぶさなければならない理由をめぐって」激しいやりとりが続き、
物別的行為寸前の緊張した状態が続いた。そのやりとりのなかで佐々
木氏が研究所に要求したことは

① 神戸の人たちに「お前（佐々木）責任─差別発言がでたこと─があるといわ
れたので、今後研究所の運営委員会に出席する。

② 機関誌7月号で「自己批判」を発表せよ。

③ 差別発言の12月号を回収すべきである。

④ シンポジウム「日本と朝鮮」を絶版回収せよ。以上の措置が責任をとる

最少限のことである。ということであったが、詮合を続けるほど感情的な
対立が深まり、生産的でないとの判断にたち、翌日、事の局長と佐々木氏が
引続き詮合うということで、本日の懇談会は、打切らざるを えなかった。

Ⅳ　運営委員会資料　227

第10回運営委員会（臨時） 7/8 6時〜11時

出席者　宍田、井上、小沢、梶林、板井、樋口、岡田、杉松、鈴木、佐々

討論の内容

① 奇祀神多の人たちとの話合で、出席運営委員が、それぞれどううけとめたか。

② 研究所としては、何が問題であったのか。

③ 佐々木氏の言動の評価をめぐっての議論。

なお、7/6の軍山局長と佐々木氏との話合は、1時間余なされたが、結局そのほとんどが、意見の一致をみることができず、「運営委員会出席」云々については、運営委員会で検討し、7/21日回答するということで、物わかれとなった。

第11回運営委員会（臨時） 7/9 6時〜11時

出席者　宍田、井上、小沢、梶林、岡田、佐林、樋口、鈴木、

決定

① 7月号の発刊をおくらせ、運営委員会の「反省」をのせる。同じ号に旗田、宍田両氏の「反省」も掲載する。引続き、問題の左決会出席者及び各運営委員も「反省」を雑誌に発表して行く。

② 株関派の活論文を早急に検討する。その結果を本関にのせる。

③ シンポジウム「日本と朝鮮」も再検討し、雑誌に掲載する。

④ 12月号の回収の件については、欠席運営委員のなかに異論の人もいるようなので、後日結論を出す。なお、運営委員会の「反省」の草案は、佐林、井上が起草する。

⑤ 佐々木氏へ回答
　運営委員会の出席は、ことわる。

(6) 引続き、研究生などの意見は、拡大運営委員会というような形で、まく機会をもつ。

(7) 佐々木氏の評価について「彼は、神戸の人たちの批判がわかっていないので、従って、無条件的に意見をまくということにはならない」という意見と「研究生のなかにも佐々木氏に似た考えをもっているものがいるので、今後とも、佐々木氏を含めて意見を、けんまにまくべきである」という二つの考え方があり、上記の結論となった。

　　　第12回 運営委員会 (定例) 7/24 は6は～11は

出席者 梶林、梶井、井上、小沢、宮内、林松、植に、鈴木、佐々木、角田。

　討議 「本記者刊発言問題の空迷と私たちの名右」の話合。

　決定． 12月号は回収と決定。

　　　第13回 運営委員会 (臨時) 7/28

出席者 梶林、角田、小沢、井上、鈴木、佐々木

　討議 上記「…名右」の最終稿決定 (7月号参照)

　決定
　　① 運営委員会名ではなく、運営委員の署名で発表する。
　　② 欠席運営委員には、最終稿を送付、署名の諸書を求める。

Ⅳ　運営委員会資料　229

第14回運営委員会　8/6　於ラパチ竹

出席者
　小況、先内、板井、井上、椎坦、樋口、鈴木、佐料。

報告
1　7/30日の公開講座「南朝鮮改憲・三選阻止の斗い」—講師樋口雄一所員—
　は参加者の一部（佐々木グループ、6名）より、『「特殊部落」発言問題の「自己批判」を
　おおやけにせぬまま、公開講座をやる資格がない』とやかましく主張
　した。
　　井上、樋口、佐料の三委員より『運営委員会の「反省」は近く機関誌・クタイで発表
　される。そのなかで、研究所の抵活動を引続きやるなかで「反省を深める」ことが確
　認されており、本日の講座もそれにもとづき行ったものだ。若し意見があるなら
　講座の具体内容で指摘して欲しい。』と説明、説得を行った。また、参加者
　　　　　（ママ）　　　　　　　　　　　　（趣旨の？通り？）　　　（？発言）
　からも、彼らの主張に反対する意見がだされたが、それに対し、物理的行為に
　及ぼうとするなど、明らかに、研究所の講座を開かせないとする意図がみられ
　た。その後の討論では同じ主張をみ、結局、差別発言に対する佐料事務局
　長個人の「反省」を約40分行うことで、公開講座は行なわれないまま終った。

討論
　上記の報告及び、その他の佐々木らの言動と採価、それへの対処をめぐり討論を
　行った。
　(i)　佐々木は、神戸の批判を、まったくわかっていない。従って、運営委員会が、神戸の
　　批判を実践する第一歩として、彼にわからすよう説得することである。
　(ii)　佐々木らの意見は、　　　　　　　　　　　　。何らかの意味で論理的な接合は必
　　　　　　　　　　　　（沿付いているところがある）
　　要である。
　　という二つの意見にわかれた。次のことを決定した。

決定事項
　1.　全所員の声りを聞く必要がある。
　2.　拡大運営委員会を開き、研究所に対する意見をきく。但し、意見の相違を理由に、
　　佐々木らが物理的行為に及ぶなら、それそうおうに対処する。

3. 原則としては、研究所に関心をもっている人たちに依拠し、佐々木問題を解決する。

4. 公開講座は、引続いて行う。

5. 拡大運営委員会は　8月23日午後2時～5時まで行う。

　　　第15回　運営委員会　（8/19）　於 事u所　6時～10時

出席者　村松、梶村、角田、樋口、鈴木、佐々木。

報告
　2　札間誌の編集の進み具合（略）

討論・決定
　3　7月号で約束した「日本と朝鮮」及び札間誌の検討を次のように決定した。

　（イ）「日本と朝鮮」については、一人の報告者が一冊全体の問題提起を行い検討する

　（ロ）報告者は、宮田か梶村。討論は10月上旬とする。

　（ハ）札間誌の検討は、当面、今年の1月～6月までを行い、他は別に検討する。

　　　報告者は、1月号ー樋口。2月号ー村松。3月ー宮田。4月号ー鈴木。
　　　　　5月号ー佐々木。6月ー角田。12月号ー小沢。1月～6月までの
　　　　　依同の特徴について井上等。次回の8/27 運営委員会で、佐々
　　　　　鈴木、樋口の三名が報告する。

　2　8/23日の読者の集いの井葉。
　　　（イ）挨拶ー梶村　　（ロ）主催代表趣旨の説明ーー小沢
　　　（ハ）7月号の「本書と反省」について主に意見をきくが、もっと広く、現状における朝鮮研究
　　　　　の課題はなかもきく。
　　　（ニ）佐々木らに対しては、前回に決定した通り。

第16回運営委員会（5/26）於私宅　午後2時〜8時

出席者　梶村・小沢・井上・樋口・扇田・佐々木・鈴木

報告
　1　8/3　読者の意見をきく会での「暴行」事件について。　（意見きく）

　　上記の会の案内は、都内、神奈川、埼玉、千葉の各県読者になした。
　　当日の参加者は約30名であった。参加者からなされた主な意見は

1　梶村氏をして「朝鮮史研究」の現状を「将棋部落」云々といわせた現実こそが
　　問題なのではないか。「反省」にはそのことがふれられていない

2　朝研は、植民思想の克服を課題としてきたが、それは正しかったと思う。現実には
　　一定の役割も果してきたと考えられるが、この度の入管法反対斗争で非常なたちおくれ
　　をきたしたが、その理由（思想的）は何か。

3　「朝鮮を食い物」云々の発言があったようだが、われわれを差別や迫害しているの
　　は支配者だ。その矢が確認されれば海されたかどうか。

4　報告を通じ、人間の認識（例えば日本人の朝鮮観）をかえることができるかどうか
　　疑問に思う。　また、運革というものは、かくかくあるべきだというものではなく、自らの
　　階級的斗いを正しく遂行すれば、結果として運革が成立するものだと思う。

5　佐々木からは、主に梶村氏に質問が向けられ、自分の自己批判が終らぬうちに。
　　　（地2名）
　　9月から執筆したことが怪しからん等々発言があった。

　　以上予定通り会議は終ったが、梶村・小沢両氏にたいする佐々木ら3名の暴行事
　　件は、会議終了後、参加者がほとんど帰ったあとで起きた。
　　梶村氏にたいする暴行の理由は、梶村氏が佐々木のかつての同僚に会って、彼が「9.5
　　調書」を行ったのが許せないというもの（事実は違う）
　　小沢氏にたいする暴行（近い抗も（とめるものがいなかったら言に暴行されていた）は、小沢
　　氏の上記会議中の発言が怪しからんというものであった。
　　その場にいあわせた所沢は、樋口、井上両氏、他に小林（研究生）その他2名の参加者で
　　（ほかに手ヨッパリの会のその3名が現場にいたが、彼らは、暴行に参加しなかった。しかし、暴行
　　をとめることもしなかった）佐々木らの暴行をとめるため努力した。

乙. 昨日(8/26) 呉林俊氏の公開講座であったが、正午頃、呉氏より、事務局長に公開講座に佐々木らが、ゲバをかけりとの話がある（チョッパリの会ったんだろが呉氏に伝えた）ときいたわけとの先後があった。

討議・決定

8/23日の総括を行ったが、佐々木らの暴行の評価について、討議は問題も少なかったこともあって、充分意見の一致を図ることができなかった。

昨日(8/26)の公開講座の講師は、朝鮮人であり、そしてのことがあり、迷惑がかかるようなことがあってはならない。という以上二つの理由で公開講座を中止することを決定した。

次17回 運営委員会(8/7) 於 事い所

出席者. 樋は、岡田、桁林、桟井、小沢、村松、秋定、佐々木、鈴木、瓜川

討議.

1. 8/23日の佐々木らの暴行行為の評価をめぐって

佐林より、佐々木の本質を見抜けず、研究所に近づけて、今日の事態を招いたことにはし、自己批判があり、同じく、同じことで、鈴木からも自己批判があった。

あわせて、佐林から、佐々木の意見をきかなければならないと主張してきた運営委員に対する批判がなされた。

更に、同じ運営委員が、理不尽にも暴行をうけて、怒を燃じない運営委員の思想状況にも合わせ批判が行なわれた。

2. 上記の発言をきっかけに、運営委員会内部のかなり具体的なことにわた

リ、相互批判が行なわれた。

3. 瓜川氏より桁林氏に次の批判が行なわれた。

(イ) 桁林氏の全般を認識
(ロ) 中沢暗子氏の　　　　方について
(ハ) 佐々木暴行をうけたことと、今後のあり方について.

Ⅳ　運営委員会資料　233

4. 今後の研究所をどうするか

(イ) 佐林は、運営委員会が、いまのような人間関係では、自信がない。

(ロ) 鈴木、岡田は、党改任命

(ハ) 他の出席運営は、引続、研究所をやって行く必要の意思表示あり。

　　　　第18回 運営委員会 （8/30） 於事ム所 午後2時～同10時

出席者　小沢、岡田、桂松、榎林、井上、鈴木、高田、佐林。

討論

　7時間余の討論を要約することは、とうていむつかしいが

Ⅰ 2回にわたる岡田氏からの批判をうけ、各運営委員が、それをどううけとめ、今後どうするかという点で、理解に共通している点と、具体的な点では、かなりの違いがあり、充分な理解の一致をみることができなかった。

2. 各運営委員個人が、批判をどううけとめ、今後何をやるかということと、研究所との関係（研究所が必要かどうか）更に、研究所全体が、具体的にどんな目標で、何をやるかの論がなされたが、これも充分な結論をうるまでに至らなかった。

3. 井上氏から　佐々木グループにどう対処するかを抜きにして、研究所のあり方を論議しても、実践的に意味がない。ということが強調されたが、この問題も、討論不充分のままに終った。

　　　　次19回 運営委員会 （？） 於 事ム所 6時～10時。

出席者　　岡田、小沢、榎林、鈴木、佐林

　今後研究所は、何を ~~課題とするか~~ について、財政状態（別項参照）も念頭に置き、討論が進められた。それについて、出席者全員から意見が述べられた。が、そのなかで、佐林から従来まったく言及されなかった批判

の内容について次のような発言があった。

われわれの研究視点や研究姿勢も、たしかに批判の対象であったが、それと同じくらい、むしろそれ以上に批判をうけたのは、われわれ運営委員、相互の個人を火にもとづく、冷たい人間関係ではなかったのか。たんに共通の関心、知識・情報の交換等々の人間関係では、爆の（ ）関係は成立しない。従って、そのような体質から、人間の生き方までにおよぶ（信頼）研究や人間関係をつくりえないというものではなかったか。研究所が、今後何をやるかの場合、この点を重視しなければならない。

以下次の点で意見の一致をみた

① ~~（　　　　　　　　　　　　　　　　　　　）~~

② 研究所の課題は、植民思想の克服にあることは依然かわらない。

しかし、課題を具体化するという点で、大要次の二つに意見がわかれた。

①（はじめとする政治課題）（まともにとりくむ）~~（　　　　　　　　　　　）~~ 特に70年斗争に研究所全体が
（情勢をくっとり以外に）結体として~~（批判）~~克服する~~（　　　　）~~（根挿）
（あれ本 ） （みるはない。それをして行くことは本代をも路体をぶっかるだろう。）

② 課題を果し、弱点を克服するためには、より現実に完着、現実をふまえての政策の状況及び連帯のあり方を提起して行く。植民思想のとらえ方については、化々本的なとらえ方では、問題にならないが、集用としての人間関係については、路体上に違いがあっても、化々本も反化々本もほとんどかわらないと思う。従って、あれかこれかにはならない。強いていうには、独自の進む進本によって、70年斗争に参加する（仇まま）

③ 6月～8月の収支の化記

(イ)
	収入	支出
6月	166,278	481,740
7月	268,446	375,154
8月	143,680	402,361
	578,404	1,259,255

(ロ) 3ケ月の収支の差が約68万円の赤字 1ケ月約22万円となる。この3ケ月間の借入金が675,000円になっているので、ほぼ赤字に見合う額となっている。

(ハ) 雑誌8月号が、9月なかばに発行されるが、9/9現在、現金35,000円は～10万円の現金がないと雑誌づくりもとれないし、今月中に必要な金額は。

9/20日の金融公庫返済金. 約3万円。家賃・人件費 約10万, 法部学氏の返済
金10万円 合計 30万円は要である。若干の講読料, 所との入金はあるが.
今日も. 20万円の借入金を必要とする。 9. 10, 11月と 毎月3ケ月 20万円づつ
の返済をなし, 来年に入っても. 基本的に返済解消の見通しがいまのところ立た
ないのが現状である。

財政問題について. 各々技論したが. 具体的な解決案はでなかったが.
現状継持は. むつかしいのではないかとの空気が支配的であった。

　　　　次20回 運営委員会 (9/5) 鈴木氏所 午後3時～9.30分
出席者. 　鈴木、小沢、角田、樋口、佐藤、吉田、梶林、井上.

前回の討論の経続として. 佐藤、梶林 (代表されるこつの考え方) に対し
出席各委員から. 各々角度から質問がよせられ. 更に両名から具体的な
考えがのべられつなど討論は. かなり発展してきた。 つまり. 梶民地支配の
克服という課題の点では一致しているが. それにいたる過程 (佐藤は. 具体的な現実
を通して. 梶林は 一研究所が全体として政従行動（をとるということ）して）が違う.
なぜ違うのかについては. 次回の運営委員会までに. 両者が空証して再先提
れ出し. 各運営委員会. 次回までに. 各人の研究所かの 今後具体的にやる
べき任務 ② 研究所の現境 等々について. 文書に作総提出し. 討論する。

いままでの討論の要約　　　　　　　　No1

1　研究所の今の課題

(イ) 植民思想の克服にあるという点で意見の一致

2. 具体的に課題をどう進めるか

(イ) 70年斗争をはじめとする政治課題に、研究所全体がまともに取組む姿勢をもつ以外に総体として克服するみちはない。それを行ってゆくことは、当然代々木路線とぶつかるだろう。

(ロ) より現実に立脚。現実をふまえての加害の状況及び連帯のあり方を提起してゆく。植民思想のとらえ方は、代々木的なとらえ方では、とうてい課題の実現は図れない。しかし集団としての人間関係については、路線上の違いがあっても、ほとんどかわらないと思う。従って、あれかこれかにはならない。強いていえば、研究所独自の道の追求によって、政治課題に応じてゆく。

(ハ) 日韓斗争の総括によって、継承すべきものと、否定すべきものを明らかにする。

(ニ) いま、批判をしている人たちは、一部のもので、全体として読者が何をもとめているかを無視することはできない。

(ホ) どうすればよいかわからない。　　その他

3　研究所の規模について

(イ) 縮少存続ということでは、意見の一致

(ロ) 雑誌は継続発行するという点でも意見の一致
　　但し
　　① 定期刊行という考えと ② 不定期刊行との二つの考えにわかれた

(ハ) もっと金のかからない事務所に移転、事務局は一人おく。

(ニ) 事務局なし、事務所なし

No.2

(ホ) 以上いずれの案でも、現状の運営委員の人的関係（体制）のままでは、雑誌の発行も、研究所の存続もむづかしいであろう。

4. 具体的な縮小措置について

(イ) この際、新しく出発する研究所は、一切の借財の整理を行い、研究課題に全力投入できるようにする。

(ロ) 具体的な整理は、結局現運営委員会が責任を負わなければならない。接渉（処理）は、古屋・依頼が行う

(ハ) 早々に班子会を招集する。

南の人間とその評判にとって考える

(ニ) 班子会には、おおまかなものでも、70年代の朝鮮研究の内容を提案する必要がある。

人的の目で朝鮮辞をとらえる

教育主義でなく、人的で行え→

教師の人たちの人的の解放と朝点をとく

5. 古屋班子会の意見

(イ) 朝鮮問題が最も重要なときに、縮小などは、来てはないことである。若きものを質においてもやらなければならないときである。情勢と自分たちの責任を甘く考えているのではないか。縮小は純体反共である。

(ロ) 財政的危機は、創立のときからである。いまさら驚くことはない。どんなに借金しても頑張らなければならない。最終的な責任は自分が負う。

(ハ) ケバな人も恐れるにたりない。正しいと思うなら新聞のよい。班由を明らかにし、間違っていつなら謝罪させなければならない。自分が相手になってやる。（相手が）

口家そうな妄する個人間

(ニ) 人間だれだって、誤りや欠点はある。自己批判ができないようでは、今後、何もできない。いままでの研究所のよいものを生かし、新しいものを作らなければならない。

(ホ) 班子会を[開く会]に、どうしても自分（ちや）から運営委員会に出席したい。

No.3

（議題）

I 基本問題で（縮小か現状維持か）古屋班分長と運営委員会の意見の
　相違をどうするか

2. 運営委員会内の意見の調整
　(イ) 今後具体的になにをやるかについて
　　① 討論を継続、意見の一致を図る努力をする。
　　② 具体的な情報収集などの手続を進めつつないで、意見の調整を図って行くか。

　(ロ) 研究所の規模について
　　古屋班分長との接渉いかんによるし、仮に縮小するにしても、整班の結果（結果）いかん
　　にも左右される。また、研究内容のいかん等にも関係があり、いますぐの
　　結論は、むりなような気がする。

3. 縮小の具体的な措置
　(イ). 整班対策委員会の結成
　(ロ) 班分会の招集日
　(ハ) 実質的な新研究所発足対策委員会

4. 9・10 合併合をどうするか
　（書面）

私 の 考 え

IV　運営委員会資料　241

第21回 運営委員会 (9/17) すい所

出席者　樋口、桜林、小沢、村松、鈴木、仏科．

　前回と今回の運営委員会の議論をまとめると大体次のようになる
　(以下いずれも文責仏科)

㋑　神戸からの批判のうけとめ方の相違．

(イ) 神戸からうけた批判も、運動をやっている人たち(入管法を積極的に4った
足囲)の批判(研究を認識の分野に限定し、政治実践から分離するのは誤り
など)も本質的に同じである。

(ロ) 神戸からの批判は、論理の問題より、より根本的なわれわれの体質が
批判語であった。運動をやっている人も、そうでない人も、未解放でない人
間が、普通的にもっている弱点への批判である。(部落の人)
基本的には、以上二つのうけとめ方の違いがある。従って、それが、佐々木グループ
に対する評価の違いの一因にもなっている。

(ハ) 上記(イ)(ロ)の考え方と多少角度の違う意見として、1965年(日韓条約妥結)
以後 ロ・14外の思想の分化、運動の多核化が急速に進行したにもか
かわらず、運営委員会は、その問題を意識的にさり続けてきた姿勢が、
この次の差別発言を生んだ遠因である。

(ニ) 批判の中心は、未解放部落の人や在日朝鮮人等のもっとも苦しい人たちのこ
とをほとんど知らずに、自分たちの研究が、あたかもそれらの人たちに役
立つと錯覚していた、われわれの思想状況にあった。
　この(ニ)の意見については、上記(イ)(ロ)(ハ)の考えの人たちも異論はない
が、この意見と他と違うニュアンスは、研究所以外の個人や団体、運動
などとの関係をも視野に入れて批判をうけとめるよりも、主に、批判を
個人としてどううけとめるかに力点がある。

　厳密にいうと、各運営委員の考えが上記の各項にきれいに整理されるので
はなく、例えば、佐々木問題や弱点の克服の力点や置き方などになると
複雑に意見が錯そうしている。

（2）うけた批判の克服の方法。

(イ) 個人も含め、研究所総体が、より政治課題への研究独自の実践的参加が、克服の主要な側面である。

(ロ) 現実社会により密着し、その現実から、植民思想を告発し、政治課題にアプローチすることが、克服の主要な側面である。

(ハ) 研究所の総括、とくに日韓斗争や『連帯の歴史と理論』の批判、継承、人民責任論の発展が必要である。
　　と、ここでも意見は、多様にわかれた。この討論のなかで論議を呼んだことのひとつは、具体的に「運動」と呼ぶが、運動それ自体の理解の相違があった。今一つは、研究所が運動という場合、例えば「代々木」「反代々木」というように、あらかじめどちらかに限定するのは、賛成できない。という考えと、朝鮮問題への対応の意識から、あえて、と限定する必要があるのではないか、にわかれた。

(ニ) (イ)の意見は、(ロ)の考えに対し、結局従来と同じようなことに終わるのではないか。また、政治課題の逃避ということになりかねない。という疑問が提起された。
　　(ロ)の意見は、(イ)の意見に対し、それでは運動体とかわらないことになる。研究所（者）は、政治課題に対応する実践は、もっと違うものである。

（3）今後具体的にどうするか

　　次の具体案が、二人の運営委員から提案された。まとめて記すと次のようになる。

(イ) 研究所の課題は、植民思想の克服にある。

(ロ) 今後とも、考えの違う人とやって行く。しかし従来と違って考えの違いは、違いとして、意思に討論を行うことが不可欠である。無原則的な啓蒙主義は、まずしく再検討する。

(ハ) 事ム所について
　　　　　(イ) 事ム所なし、事動なしで、所員の自覚性でやって行く。
　　　　　(ロ) 最少限、事ム所と事動を一人おく。の二つにわかれた。

3

(ニ) 研究所の機構

　　　① 運営、研究、編集、財政を一つの機関に集中する。

　　　② 機構は、ほぼ従来通りの二案が出た。

(ホ) 雑誌の発行について

　　　① 定期発行

　　　② 不定期（タイプも可）

(ヘ) 具体的な研究内容

　　　　　保留

以上の案に対し 次の意見が出た。

(イ) 財政問題などで、ほとんどエネルギーをついやしてきた実績から、70年代に向けて、何を守り、何を捨てるか、はっきりさせるべきだ。身軽になって再出発すべきだ。後始末は、みんなでやろう。

(ロ) たしかに課題も、研究内容も大切だが、同じ程度に中心になる人物が大切だ。雑誌を出すからには、場所（事務所）がなければ、つぶれる危険が大きい。

(ハ) 要は、やる人の自発性にある。今だれさんにたよつのではなく、自分がやるということにならなければ、だめだ。
　　等々で、討論は終った。

4　　　第22回 運営委員会　（9/21）

出席者　　井上、梶杜、樋口、鈴木、佐々木。

　　従来の運営委員会の準備を進め、幸の局長が班早長に報告したところ、古屋班早長より、9/21の運営委員会には所用で出席できないが、次のことを運営委員会に伝えて欲しいと、班早長の見解が表明された。

古屋班早長の意見

① 朝鮮問題が最も重要なときに、縮少などはとんでもないことである。著るものを質に入れてもやらなければならないときであると考える。情勢と自分たちの責任を甘く考えているのではないか。縮少は絶体反対である。

② 財政危機は、創立のときからのことで、いまさら驚くにあたらない。どんなに借金しても頑張らなければならない。最終的な責任は自分が負う。

③ ゲバなど恐れるにたりない。正しいと思うなら断固斗い。理由を明らかにし、相手が間違っているなら謝罪させなければならない。そういう人間には自分が相手になってやる。

④ 人間だれもが誤りや欠点はある。自己批判ができないようでは、今後何もできない。いままでの研究所のよいものを生かし、新らしいものを作りださなければならない。

⑤ 班早会を開く等に、どうしても自分が運営委員会に出席して、みんなと直接話合いたい。

　　以上の班早長見解に対し、各運営委員より、次のような意見がのべられた。

① 班早長のいう「朝鮮問題が最も重要なとき」という現地認識については、全員異論はないのだが。

② 研究所の縮少は、新らしい情勢に答えるために行うものである。問題は、研究所の規模を縮少、所員を再編して、どんなものを（研究）作れるかにかかっている。形だけで判断することはできないのではないか。

IV　運営委員会資料　245

5

いまひとつ重要なことは、現状の研究所評価について、班事長は、他団体に比較として「よりましだ」と考えているらしいが、いま研究所が、批判をうけているのは、必ずしも、そういうレベルのものではないと思う。その点の認識については、たんに班事長との違いだけではないように思う。

③ 縮少は、班事長がいうように後退だと思う。しかし財政上の理由でやむをえないことだ。研究所は、不充分なことは多々あるが、基本的に否定されるようなものであったとは考えられない。「質に入れても」といわれるが、現状の財政を考えたとき、限界がある。不本意ながら縮少せざるをえない。

④ 「連帯の歴史と理論」など、いわゆる朝研理論が、各方面から批判をうけているが、それを総括し、遺産をひきつぎ、70年の4・4に応える理論を創造することだ。そのためには、財政・所員の構成などの現状から、縮少・再編はやむをえない。

⑤ 70年代に入ると思想の分化は、より激しくなることが予想される。従って、いま再編を行い、財政的にも身軽になって、新しい情勢に対応できるようにすべきときである。克服すべきことは、われわれは、従来、政治をかえることによって人間を解放すると考えてきたが、その原則は正しいにしても、政治や学園（研究所はこれにあたり）のみに偏在をすぎて、逆にその過程で人間が忘れられていった。「具体的な人間に目をすえて、今一度考えなおせ」という神戸からの批判であったと思う。朝研の場合もそれがいえる。結論として縮少やむをえない。（統一を考える）

以上のように、情勢の重要さの認識については、多少ニュアンスを異にしても、意見の一致をみたが、研究所の過去の評価ない今後指導にどう答えるかという点では、評価の違いがあり、従って「縮少・再編」についても考えが違ってきている。しかし、運営委員会としては、いずれにしても「縮少・再編」では一致し、改めて班事長と話合いをもつことになった。

◎ この段階で意見の一致をみたことは
①研究挫跌（抵民思志の克服）　②情勢の重要さの認識。　③縮少・再編
（但し班事長は違う）④意見の相違は、①神戸からの批判のうけとめ方　②佐々木グループへの対処の仕方、③研究内者の力点のおき方（研究所全体として）
④具体的にどの運動に依拠し運動を進めるか。⑤研究所の過去の業績の評価

6

㋭　研究所規模の「縮少」理由。㋬　今後の所員の構成基準。㋫　再建
朝研に、誰が中心に（某所長的存在）なるか等々……。にわかれ、そのわか
れ方も、終始いくつかの流れに沿ってわかれているというのではなく、問題
によって、意見のわかれ方が流動するという。きわめて複雑なものである。

討論

㈠　「政治」と「人間」の関係について。

㈡　現実に密着 → 現場課題へのアプローチとは。具体的にどういうことか等々が
なり、つっこんだ議論がなされたが、これ以上同じ議論を続けてもまわり、
生産的でないから、意見の不一致は不一致として「縮少・再編」ということ
で具体的な日誌を進めるということに意見の一致をみた。引続き、
現事会に向けての総括の基本的な考えについての意見交換を行った。

　　　　　第23回　運営委員会　　　9/28

出席者　小沢、鈴木、角田、梶枝、樋口、佐然。

　小沢氏から、佐然某所長より、現事長、運営委員長宛に辞任届けが9/26日までに
提出されたことが報告された。某所長の辞任理由は。

① 9/25日の運営委員会は、某所二名と吉田氏だけの出席で流会になった。

② 研究所の現状は ㋑解散かどうかの瀬戸際にある。㋺月末までに30万円の旅費が
必要だとき、現金はわずか若しかないということを運営委員は知っていて、出席しな
かった。このような「人間関係」が、実は、問題なのだと、いいつづけてきたのだが……。

③ 佐然の妻は、数日まえから風邪で倒れており、検査の結果、「結核のガン」の容疑
者と指摘され、精密検査の指示があり、善近なら出来るような状況ではなかった。

④ しかし流会となった。以上のことと従来の討論全過と思いあわせ、「自分は、
不信任されていたことを知らずにいたのか」「あてにて利用してやれ」かのいずれ
かだったと思わざるをえない。「わたしの生き方とはいずれにしても無縁のも
のだと思っている」

⑤ 研究所員像については、支払良うべき責任を負う、という趣旨のものであった。

それに対する意見

(1) 自分の朝研とのかかわり方が、今回の問題をひき起こしたと反省している。佐野・鈴木（鈴木個人の総括と運営委員会に対する意見が、9/5日文書で提出されている）両名の意見をみて、誰かからの批判が、はじめてわかったような気がした。しかし、いま準備局長が辞任すると研究所はつぶれると思うので、引き続きやってもらいたい。

(2) 結論がでるまで辞任はひっこめるべきだーと思う。朝研にはまする人間関係については、やましいことはない。非常勤の運営委員は、全エネルギーをつきこめない事情にある。しかし、それではいけないという悩みがある。7月以来、自分なりに、こういうものならやって行けると思って佐死に、色々な提案を行ってきた。それは、自分が提起した課題を果さなければならない責任があるからだーと思っているからだ。

(3) こういう事態（流会）が起きるのは～である。現に、過去にも何回か流会はあった。問題を克服する方向で提起するならわかるが、辞任という形で提出するのは誤りだ。

以上の意見に対し、佐野より若干の質問がなされ、自分の考えは、辞任届けに書いた通りで、みんなの発言をきいて、別につけ加えることも、考えをかえることもないとの見解がのべられた。

(4) これとは別に、角田運営委員より、個人の総括と研究所に対する意見はひ、運営委員辞任の文書が、提出されたが、柱論にならないで終った。

決定 ① 最終的な結論は、10月末までにだす。それまで準備局長は、そのまま。鈴木準備局長も、同じく10月まで勤務してもらう。
② 班長会い運営委員長との会合は、10/2日に行う。③ 班長会は10/7とする。
④「縮少・再編」案検討は、柏木・樋口・井上。⑤ 整班案は、佐野・宮田。
⑥ 総括責は、小沢。⑦ 9・10合併号は、各運営委員が「反省を含め、現在の朝研問題の課題は何か」をかく。
⑧ なお 月末の資金ぐりについては、運営委員会でわけし、その措置にあたり、きりぬけた。

第24回運営委員会　　1/2

出席者　小沢、井上、村松、樋口、鈴木、佐々木

　本運営委員会は、古屋証事長との懇談会の予定であったが、班事長に急用ができ出席できなくなった。「縮少・再編」については、それで発展のめどがたてば、同意するとの意向が伝えられた。

決定
① 事物所の移転は、10月一杯に行う。　② 家賃の5,000円値上げ要求については、毎月3,000円値上に応じるものの回答をする。(それで妥結した)
③ 班事会は、予定通り10/11日に行う。

討論
(1) 整班にともなう具体案を若干討論した。
(2) 小沢氏の□問題全国研究会の「教科会議長」をひきうけた件についての可否が討論された。

　(イ) 上記の問題に対し、この種の問題を運営委員会が討論するのは筋が違うのではないかとの疑問が提起された。それをめぐっての討論がまずなされたが、「個人としては、すでに早く、議長を引きうけるべきでないとの意見を伝えてあるが、同じ仲間として、疑問がもたれることは、どんな問題でも討論すべきだ」ということに意見の一致をみた。

　(ロ) 出席委員のなかで「議長はやめるべきでない」「運営委員会の至近と改宿をふまえ、誤った見解と弓うべきだ」の二つにわかれた。

　(ハ) 小沢氏から「どういう事情があったにせよ、議長を引きうけたことは、自からの選択によるもので、その結果についての責任は、まぬがれないと思っている。関東の差別の現状をみたとき、出席することに意味があると考えている。自分なりに精一杯努力するつもりだ」との見解がのべられた。

第25回運営委員会　　　1/8

出席者　小沢、梶村、樋口、井上、佐々、鈴木、杉松

　本運営委員会は、1/11日の研究会に提案される議案作りが中心であった。

研究総括案 － 報告者 小沢 －

(1) われわれは、問題の提起者になりつづけることをのぞみながらも、問題志向が意識しつつある傾向におちいっていた。

(イ) いままで主張してきた植民思想の克服は正しかったし、今後も必要であるが

(ロ) それが現状に充分対応できるものとなりえていなかった。(ハ) また、知識人というせまいワクのなかで、朝鮮問題を本え、在日朝鮮人、未解放部落、被爆者等の解放の努力と結びつけ、〈下からの発想〉で朝鮮問題にアプローチする視点を失っていた。

(2) 日朝の連帯の規範の創造をめざしたが、日韓条約妥結以後の段階で、新しい状況にみあう規範の形成を充分に果すことができなかった。在日朝鮮人問題についても同じことがいえる。

(3) 何を守り、何を捨てるか

(イ) 研究のためではなく、現状を維持するために使うエネルギーは、非常に多い。従って現状を捨てる。「名を捨て、実をとる」

(ロ)「他人に頼る」という姿勢 － 運営・研究体含 － は捨なければならない。なれあいも同じである。

(ハ) 非政治性の克服。　(ニ) 自分のための研究はいいん。

守るべきもの。

　　(イ) 植民思想とのたたかい。　(ロ) 研究所そのもの

等々の報告があり、討論を行った。報告に対する基本的な考え方に異論はでないが、次のような補足的な意見がでた。

(1) 知識人のワクのなかで、物を考えることを克服しようと考えつつ結局そのワクを破ることができなかったのはなぜか。

(2) 新らしい状況に対応する理論の創造の必要性を認めつつも、それが果せなかったのはなぜか。

(3) 従来研究所は、植民地問題の問題を歴史に比重をかけ、現代を軽視する傾向があった。なぜか。

(4) 入管法反対斗争のなかで、日陸青年共斗ができたが、研究所は、それをどう評価するのか。総聯や華僑をブルジョア民族主義と批判する日本人がいるが、それらの意見をどうみるべきか。

(5) 日韓条約以降、植民思児の問題を充分に追及しえないできたのは、たんなる啓蒙主義におちいっていたからではないか。

(6) 「粘体部局」なる発言は、上記のことなどとは関係なく、もともとあった思想が、依然でてきたという意見と、浅草町にきてからの研究所の研究姿勢と関係があるとの二つの意見にわかれた。

(7) いずれにしても、過去9年間の研究所の総括が必要である。特に浅草町時代のそれが必要であるということで意見の一致をみた。

再建具体案 I 桜井案

(1) 具体的な案や数字は、別紙（略）に示した通りであるが、問題点として残ったのは、(2) 財政規模を甘くみるかどうか。(3) 研究所の構成を根本的にかえるかどうか。(4)「縮少・再輔」について、各人のイメージが違っている。(5) その他

再建具体案 II 樋口案

(1) 朝研は、不充分な点はあるが、いままでも世のなかの役にたってきたと思うし、今後も役にたつと思う。(2) 現体制の維持（基本的には）まったく別なことを考えることはできない。(3) 小さくとも事務所をもつ。事の局長は、依旧。団結話はもつ。

(5) 研究所の主体制の確立。あらかじめ、何々派むこから排除するということはやらない。 (6) その他

一致点

(1) 結論を出す。 (2) 最少限辛ム所と専従者（パートは場合とある）を選く体制でなければならない。（そのための体制作り） (3) 研究班数は、植民思想の克服。

不一致点

(1) 研究所の過去の業績の評価の違。 (2) 辛ム局を誰にするか。（責任がどうかと） (3) 所員の基準（縮少・再編の場合、所員の構成をどうするか）等々

第13回 運営委員会　12/4

出席者　古屋、三宅、松林、笠田、小沢、北、楠□、佐久

　　前回の討論が継続された。

古屋理事長より「事体は誠に重大である。いま、移転などで時間やカネを使うのは生産的でない。再編の問題は、今少し時間をかけて考えて欲しい。カネの問題は、理事長として責任を負う。雑誌はうまくてもよいから毎月発刊して欲しい」との発言があり、前回の班子会のときとほぼ同じ討論が、理事長と運営委員の間で続けられた。

　特に、編集の方から、「たんに財政だけの問題ではない」理由が具体的にのべられたが、理事長より「現状のままで総会を開き縮小・再編を決定したら、主観的にどうあれ、解散になる危険が非常に多い。一月下旬の定期総会までに再編・事務所の移転先など時間をかけて検討して欲しい。それまでの赤字は、自分が負担する。理事長として当然のことである」との見解がのべられた。

　だが、整理検討委員会(佐久・笠田)より、整理を先にのばしてもあまり意味がないと思う。既定方針通り10月一杯で縮小すべきだ。また、佐久からは、今月一杯で辞させて欲しい、と強く希望がのべられた。

結局

① 1月定期総会まで現状のままで行く。(佐久の辞任は、結論がでていない)

② その間に研究所の再編や移転先及び再編研究所の事務局長などヒの後任を決める。

③ 新体に2冊雑誌をだす。

④ その間の赤字は、理事長が負担する。

総 括
―研究の姿勢を中心に―

〔I〕 われわれは〈問題の提起者〉になりつづけることをのぞんだが、新鮮な問題意識が衰弱していっている傾向におちいった。

① われわれは、日本（自分の）問題として朝鮮問題を考えていくという視角を、研究の姿勢の中心にすえてきた。

つまり、朝鮮問題、日朝問題をとおして、日本国民の過去・現在・未来の生きかたをさぐるということに焦点をさだめ、その思考の軸として、〈侵略責任〉の自覚と〈ふたたび侵略をくりかえさせない〉みちの追求をおいた。

このようなところから
① 日本人の立場で
② 植民思想を克服し
③ 日朝連帯の思想をきづく
という朝研の基本的な立場と課題がひきだされ、いまなお追求されつづけている。

㋺ 日本問題としてとりくむ、という正当な姿勢のうちに、われわれに内在する弱点や力量不足がにじみだし、ある限界がひかれてしまった。

① 日本問題として、という姿勢が、日本帝国主義による朝鮮侵略の歴史と現在を告発するという研究の方向をうちだした。その方向は正しかったのであるが、その実践にあたって、旧日帝の侵略の解明にくらべて、現在の侵略のばくろにとりくむことが弱かったと思う。それは、旧日帝の侵略責任を反省のおもなバネとして、いまの侵略責任を〈思想化〉しきっていないこととむすびついていよう。シンポジューム「日本と朝鮮」の刊行は、そのひとつのあらわれであった。

② 他方 日本問題として、という姿勢が、所員のおおくが研究者・知識人であるという制約によって、知識人という枠のなかで朝鮮問題をちいさく考える傾向をもたらし、被抑圧のきびしい階層の現実のなかにある在日朝鮮人問題や、そのような階層とむすびつけて朝鮮問題を検討する努力をよわいものにした。たとえば、部落、沖縄、被爆者等々の状況のなかにいる在日朝鮮人の問題を、それらの解放の努力とむすびつけながら具体的に生きた姿を追求していく、というような関心や努力は、所内になかなか育たなかったのである。

254 総括

このような結果、思想変革の問題を、それがおかれている現実をかえるたたかいときりはなして、それだけを変えていくという思想至上主義的な傾向をおかしていった。

(ハ) 知識人の枠のなかで、というしいずしいずのうちにおちこんだ活動の矮小化は、政治的権威や学問的権威を重んじるという〈上をむいた〉態度をもたらし、運動の現実や被抑圧の階層を軸にしてものごとを把えるという〈下からの〉発想を衰弱させていった。そのため、問題提起の内容が抽象化し、運動や現実がもとめる知識や理論を形成することに欠けることがおおくなった。

現実のかかわりひいをもつ

[Ⅱ] われわれは、とりわけ日朝連帯の理論の創造と展開を当初よりこころざしてきたが、日韓条約締結以降の段階では、新しい状況にみあう新しい理論の形成を充分はたすことができなかった。
このことは、基本的には　日本の変革のイメージと、そこでの朝鮮問題の位置づけのイメージが、研究所として統一されなかったこととむすびついていよう。

① 日韓条約締結後、いわゆる日朝友好運動の停滞の傾向と、これとは別の次元で、みづからを抑圧者になったと考える新しい層と小サークルの発生をみることになった。研究所はこれらの運動とむすびつくことをたった。この状況は、所の研究活動と日本の現実、運動とのあいだに遊離をおこさせ、〈思想運動〉に朝研の活動方向を限定することにした。

(ロ) 朝研の研究解明活動において、「日韓」以降の〈侵略〉の全過程を全面的かつ詳細に解明する点で力不足であった。たとえば　戦後における植民思想の再形成のプロセスについても究明不足であった。

また、在日朝鮮人問題へのとりくみについても、
政策論に分析がかたより、
新しい問題性質の発生への検討（たとえば金東希）のなおざりというよわさがみられた。

さらに、日朝をめぐる理論的諸問題についての理論的な討論たとえば、日本帝国主義復活〈自立〉の問題とか、朝鮮統一問題などについての討論が、相当的にふかくすすめられなかった。

〔Ⅲ〕 何を守り、何をすてるか。

　われわれは、これまで知識人の枠のなかで考えるという
状態におちいりながら、しかも知識人としての任務を充分
徹底的にはたしてはこなかった、といえるのではないか。
〈下からの発想〉にたって知識人・研究者の任務をつきつ
めることが必要であろう。

　これまで、政治的な課題に主体的に研究のしかたでとり
くむ、という姿勢をもってきた。植民思想の克服、運営理
論の創造、朝鮮の自立的発展の追求など、そうしたことの
あらわれであった。そうした意味で、われわれは政治的で
あった。ところが、政治的でありつづけることへの、敏感
で持続する感覚が、さいきん、よわまったのではないか。
　政治的であることによって研究者のしんの任務があきら
かに自覚できる、という関係を再認識したいと思う。

［研究所再建案　梶村秀樹］

1．総括の要点
　　a．安易な啓蒙主義
　　b．自発性の欠如ないし不足（常勤への依存）
　　c．事業（財政）に追われたこと
　　d．「日・朝・中三国人民連帯の理論と歴史」の意味とそのごの運動論
　　e．「シンポジウム　日本と朝鮮」の問題点（アカデミズムの問題）
　　f．神戸部落研の批判の意味
　　g．65年以後の状況の深刻化への対応
2．再建を論ずる前提
　　a．「植民地思想の克服」という課題の真の継承
　　b．内部討論の徹底の約束（意見の不一致を恐れずに）
　　c．諸個人の生活感覚の変革及び生活と研究の一致（運動に対する姿勢）
　　d．以上についてのやるものの意志統一
　　e．自発性
　　f．生活しつつさける労働とお金について厳格なみとおし
　　g．事業を前提としない財政規模
　　h．研究所の主体的実践
3．朝研から引継ぐべきもの
　　a．社会的責任（読者・語学 etc）
　　b．若干の人間関係
4．引継げないもの
　　a．物質的遺産のすべて（但し資料については整理案により再考）
　　b．機構・現所員がそのまま移行することは不可能。運営委員会についても個々人については全員を期待するが困難。再建はまず運営委の内部からしか出て来ようがないが、またその枠内で閉鎖的に考えるだけでは不充分。→所員・研究生・それ以外
5．最低やらねばならないこと
　　a．資料情報の収集整理
　　b．語学の講習
　　c．何らかの形で読者の要求にこたえること（機関誌）
　　d．内部研究会
6．機構
　　a．所員＝運営委員＝編集委員に一本化

ｂ．原則として常時全員の会合

　　ｃ．常勤は原則的には廃止（純事務量の必要に応じて Part Timer）

　　ｄ．事務所必要最低限のもの（所員個人の家の一室を賃借するのが Better だが
　　　困難）

７．中心雑誌　斗う日本人民のための現状分析と資料整備（在日朝鮮人・南朝鮮
　　の人々のなまの問題提起。加害の側に立つわれわれの差別意識の自己認識と
　　克服の課題をふくむ）

８．機関誌のイメージ　タイプ印刷で可。毎月 16〜20 頁程度にするか、隔月 40
　　頁くらいに減らすこと（月にして 80 枚？）。機械的定期性よりも内容につい
　　て全員で予め徹底討論。原則として１号に主要論文１つ（他は資料性に重点）。

９．財政　原則として自弁。主旨を充分に納得しての賛助会費（個人に限る）は
　　受ける。

　　プランの一例（年間）

　　支出

　　機関誌印刷　30×500×12　180,000

　　　〃　送料　25×200×12

　　家賃（＋電話代）　　　　　80,000

　　（バイター　　　　　　　120,000）

　　　計　　　　　　　a　380,000

　　収入

　　機関誌代　100×12×200　240,000

　　賛助会ヒ　10,000×10　　100,000

　　　計　　　　　　　　　340,000

日本朝鮮研究所の再けんについての私案　　　　10.1

1. 圧まんな朝鮮研究がますます重要になっていること.

1. 研究所がはたすべき役割について、一大切であること.

できるだけ現体制を維持しながら縮小する。

　　理由 ー 新研究所の設立はむずかしい

　　　　・思想的にも引継ぎ継ぐべきものがある

　　　　・読者がいる.

具体的には ① 小さくても事務所をもつ

　　　　② 事務局は佐藤氏におねがいする（常勤
　　　　　でなくても）

　　　　① 財政がゆるせば事務局を常勤とする.
　　　　　　　雑誌代金で雑誌を維持し.
　　　　　　　その他 賛助会, 出版, 所員特別
　　　　　　　会員, 広告 等で人件費を出す.

　　　　① 雑誌 ー 月刊を維持する. 場合によっては
　　　　　　　2月に一度でもよい.

　　　　① 所員の意志統一の場として研究会を月1回
　　　　　かならず行う

研究所の主体的活動と思想を明確にすること.
　　　　政治的立場をことにするものでも 一定の主義
　　　　主張はおしいけない. 例. 方代まネ, 新会党.
　　　　　　　　　　　新2ネ, 共社解, など
研究所の目的にそうものにするか. そうでないかで
. 判断する（雑誌うもいも）.

一致をみ、運営委員会内で月づき五万円相当の負担を分担することを決めた。しかしながら、これだけですべてを解決できるものではない。広く所員及び読者の御協力を仰がなければ当面の困難をも克服できないし、再び朝鮮を支配下に治めようとしている人たちに、うちかつことは、到底できるものではない。

協力、援助を仰がなければならないことは、財政面にとどまらず、むしろそれ以上に研究所の諸事業、とりわけ機関誌の内容に対する助言を切に望んでいる。機関誌の内容が、充分でないことは、誰よりも自分たちが一番よく知っている。雑誌充実の努力は引続きおこたらないが、読者のきびしい批判や協力を抜きにして内容の向上、充実は望めないと考えている。

わたしたちは、本気で「日本人の手で、日本人の責任で」研究に励み、運動に貢献したいと思っている。これくらい規模の研究所を支えることができなくて、植民地支配の責任とか「侵略反対」などといってみても、力にならないと、自分たちにいいきかせている。運営委員会の意のあるところを御理解頂き、次のお願いに御協力下さるよう心からお願いするものである。

　　　　記

一、雑誌の内容について、意見・批判・希望・提案をよせて下さることを、切望しています。

二、財政危機の克服は、定期購読者の増加にあります。早急に（二ヶ月ぐらいで）四〇〇部をふやしたいと考えています。周囲の人に本誌をおすすめ下さい。購読しそうな人の住所・氏名を御紹介下されば、見本誌をお送りします。

三、サークル、研究会などの関係者で、毎月何冊でも結構です。本誌を取扱ってくれる人を求めます。売れ残った雑誌は引取りますから。御協力下さる人をおまちしています。

四、誌代の滞納者は、至急御送金下さい。

五、一挙に雑誌をふやすことは事実上無理なので、その間、賛助会で御協力頂ける方は、是非御願い致します。月額一口五〇〇円となっており（口数は制限ありません）可能な限りお願いします。また、賛助会に御協力頂ける人を御紹介下されば幸いです。

一九六八年一〇月

　　　　　　　　　　　　　　　　　　　　　　　以　上

び販売、集金等々が予定どおり実行されなかったことで、危惧が現実のものとなって顕在化してきた。具体的には、このままの財政状態が続くなら、近い将来、機関誌の発行継続がむずかしくなるし、ひいては、研究所の存在それ自体もあやぶまれることが予見されるとの判断にいたった。

しかし、いまある困難は、絶望的なものではなく、展望のもてる困難である。理由は、八年前の創立当時の研究所財政は、月三〇数万円の経費を必要としたが、収入はわずか七万円前後であった。現在はこの比率が丁度逆になった。つまり、月づきの赤字が七、八万円であり、売掛金と買掛金の差がマイナス七〇万円（もちろんこれに見合う在庫はある）である。反面、機関誌の定期読者の増加実数は、六ヶ月で九〇部近くで、創立以来最高の増加を示している。それでもなお、一銭の原稿料も払えず、これでようやく購読料と印刷費が見合うような部数になって、毎月前記の赤字なのである。

赤字の幅は、読者数の増大によって減りつつあるのだが、今年初頭より毎月数万円前後の赤字が累積化し、それだけでも数十万円となり、パニックは一挙にきたものではない。危機を克服する正攻法は、読者をふやすことが基本であるが、それをやりながらも、これ以上赤字をふやさないためには、当面一定の緊急手段である「訴え」や「賛助会」の協力をお願いしなければならないのである。

本「訴え」発表までの過程で、研究所の縮小をも検討してみたが、情勢にてらし、どんな困難があっても、心ある国民に依拠し、既定方針通り進むことが正しいとの結論を再確認した。予定通り「出版」や「販売」が実行できなかった理由は、自己との闘いが不充分であったことに主たる原因があった。加えて情勢及び思想・研究方法の多様化が重なって、当初の予想より所員の結集が強まらなかったことが財政上に反映してきたといえる。この現象は、一見組織力の低下を思わせるが、決してそうではないと考える。機関誌読者の創立以来最高の増加は、財政方針の考えと方向に誤りのなかったことを充分に証明しうるものである。

この度の困難は、いうなれば、主体性確立の過程で、さけることのできない困難であり、払わなければならぬ代償なのである。今後ともねばりづよく、主体性の確立を図って行きたいと思っている。だからといって、それは、非政治化への志向をめざすものでも、サークル化への傾斜を意図するものでもない。むしろ逆に、自分自身に内在するそれらのものへの闘いであって、主体性の確立こそが、真に研究を深め、関係団体との提携を強化するものと信じている。われわれのこの態度を心ある国民は、きっと支持してくれるものと確信している。

運営委員会は、他人に協力をお願いするまえに、まず自分たちができうる限りの負担をすることが順序であるとの意見の

— 3 —

訴え

日本朝鮮研究所運営委員会

いま、研究所は、財政の危機にある。研究所の執行機関である運営委員会は、その対策を真剣かつ慎重に検討してきた。

その結論の一つとして、この訴えを所内外に発表することにした。

研究所は、今年二月の定例総会でつぎの財政方針を確認した。

「その団体の性格は、そのよってたつ資金と依拠する人たちの層によってきまる。……『日本人の手による日本人の立場での朝鮮研究』（規約第三条）とは、財政も『日本人の手による』というものでなければ『日本人の立場』が貫ぬけぬことは多言を要しない。……研究所は、創立以来財政も日本国民に依拠しつづけてきたのであるが、なかったかといえば、必ずしもそうでなかったことを認めないわけにはいかない。このような弱さが内在する限り、主観的にはどうあれ、客観的には『朝鮮（人）のために何々をやってやるんだ』ということになる。

昨年は……出版物の販売は、商業ベース以外特別の方法も便宜もなかった。『朝鮮文化史』の翻訳・編集料があったとはいえ、独力で、年間数万円の赤字は、大きな成果であった。……他力本願で、研究や運動が力となりえないことは、すでに実践のなかで明らかになっていることである。その団体の財政状態は、その団体の力量（組織力）の具体的表現であり、社会的評価の反映でもある。同時にそれは、階級的には、闘う相手との力関係のバロメーターである。……今年は、より心あ

る国民に密着し、みのりある成果をあげていきたいものである。」

と誠に高い姿勢の財政方針を決定したのであった。といっても世間一般からみれば、あたりまえなことではないかといわれるかも知れない。研究所の場合、過去のいきさつからいって、それは容易なことではなかった。決定にいたるまで、役員会内に「大丈夫かいなァ」という心配が**存在**したし、いまもないわけではない。従って、研究所の財政を『日本人の手によって』維持するという決定は、まずなにより、自己との闘いにほかならなかったのである。自主財政の裏付けとなる出版及

— 2 —

1（262）　Ⅳ　運営委員会資料

1969年

第1回運営委員会の決定　　於 3/5 研究所

出席者　渡部．宮田．梶村．小沢．梶井．井上．樋口．佐藤．角田

報告　I　印刷所の変更・及び雑誌の進行状況

　　東銀座印刷より、生産能力低下で処理しきれないから他の
印刷所をみつけて欲しいとの申入れが(2/3)あった。
やむをえず、2月号より江戸川橋近くの金子印刷にかえた。
2月号は3月5日頃、3月号は3月下旬に発行の予定である。

　　　2　所内研究会の状況
(イ)　1930年代研(2/2)　　(ロ)．在日朝鮮人研(2/8)
(ハ)　南朝鮮研．(2/22)　　(ニ)　なぜ研(2/25)　(ホ)文学研(2/6)
がそれぞれ開かれ、研究が進められている。

　　　3　総　会
　　2月23日午後、理事長以下18名出席のもとに第8回定期
総会が開かれた。

　　　4　「特殊部落」について
　　神戸の西田秀秋氏から再度1月号の「おわび」では納得でき
ないとの手紙の紹介が行われた。

決定事項
1.　運営委員会の互選で、渡部亭所員が　今期運営委員長に
　　全員一致で選出された。

2.　同副委員長には小沢有作所員が同じく全員一致で選出された。

3.　次に各部会の担当委員を次のように決定した。
　　(イ)　編集委員会　◎宮田。◦梶村。村松．小沢．秋定．
　　(ロ)　研究委員会　◎小沢．奥枝．井上秀雄．角田．
　　(ハ)　講座委員会　◎井上笑．梶井．宮田
　　(ニ)　財政事業委　◎宮田。◦樋口．木元．
　　(ホ)　このほか総会で選出された運営委員会．大槻．畑田．藤島
　　吉岡．武井．鎌田の6氏がいるが就任の諾否をもらっていない
　　ので、部会所属は回答をもらってからお願いすることにした。
　　3/5日現在、畑田．大槻両氏は職務多忙のため運営委員就任

できないむねの連絡をいただいた。

（ヘ）　なお ◎印は部会責任者 。印は副責任者である。
　　　　事務局長は全部会に所属する。

4.　　運営委員会のもち方
　運営委員会は、月2回が通例であるが、月の初め（サミスだ旺）の
回を実務処理を中心に使い、月の下旬の方を機関誌の主要論
文の討論会（研究会）に使って、研究、編集、財政 円滑を図る
ようにする。
次回 3月26日は井上学委員が、機関誌2月号の「朝鮮史の研究と
ナショナリズム」を報告する。

5.　　財政 問題
（イ）　当面の大口入金予定は、3月中の資料販売代金約10万円。
と4月下旬の勁草書房からの「日本と朝鮮」の印税20万円が入金
の予定である。
（ロ）　支払の方、4月中に機関誌2月号、3月号の支払、約20数万が
あり、その他 経常費が必要であるが、問題は4月以後の入金で
資料集でも製作が焦眉の問題である。

6.　　機関誌、4月、5月号、の内容（別紙）

7.　　東銀座の支払
　月3万円ぐらいの条件で話合う。相手の返答によって再度 検討する

8.　次回の運営委員会は 3月26日ですので よろしく お願いします。

[別紙]

項目	論　文　名	執筆者名	担当者	枚数	外
論文1	北九州港の何か	西嶋三		26枚	
論文2	戦後からみてどう判り	小沢友佳		20枚	
論文3	矢意位生記	裕下動朔		30枚	
書評1	別冊・法律・せいおれ	中沢峠子		6	
書評2					
時評	朝蘭とチャン	吉村ク		6	
動向					
現他特別					
日本くの朝鮮観	割と生菜しみの力撮	松井所		30枚	
文章偏悦					
資料1					
資料2					
論文4	鮎貝虎之助（ツ）	井上学		20枚	
随筆	在日朝鮮人と日本人閣係	佐角脱水		25枚	
随筆	幼児の発記	中北野月		10枚	

[別紙]　　　　　朝鮮研究 5月号内容

項　目	論　文　名	執筆者名	担当	枚数	
論文 1	安保 日韓条約	梶村秀樹		60	
論文 2	日韓国会について問題点	佐藤勝巳		40	
論文 3	防衛庁の朝国体制動	？論争？		10〜20	
書評 1	「日本近代化と朝鮮」	旗田巍		6〜10	
書評 2					
時評	生々園芸化のこと				
私の意見					
動向					
現代史の索引		松永一		11枚	
文学（連作）		女性第一任		30〜40	
資料		鈴木？		？	
座談会					
日本人の朝鮮観	朝鮮について	富田節子		20枚	
論文 4	鮎見太之助	井上堂		21枚	
随筆	ある韓国軍人との一夜	村松武司		10枚	
研究所のあゆみ				3枚	

No. 1

第　回運営委員会議題　4/12

報告
1. 『朝鮮研究』の編集者の決定、及び進行状況
2. 科学者協会からの提案（木元）
3. 所内研究会の決定　4/14、報告者　見林晴一氏
4. 購読料督促の現状
5. 森下文一郎先生激励について
6. 宮田節子さん病気につき、研究会責任者代理の先生の件
7. 講座関係、(1)大旺講座用紙　(2)朝鮮語講座など

議題
1 (1)『朝鮮研究』の広告の件
  (ロ)朝鮮語講座のPR
  (ハ)朝鮮語テキスト製作
  (ニ)朝鮮研究の拡大　第1回日朝教研集会参加者にダイレクトメール発送

2 財政
  (1)賛助会募集
  (ロ)所債　｝促進について
  (ハ)不良売掛金募金についてのお願い

3 所内研究会の促進
  (1)宮田さんの代理決定
  (ロ)5月の所内報告者の決定
  (ニ)その他、研究会の促進・強化

No2

4 編集.

 (1) 6月号の執筆者依頼 と 朝鮮戦争特集号 の 方向 の決定

 (2) パーケットの〈朝鮮戦争〉の翻訳・掲載について

 (ハ) うめくさ原稿の旅力

5. その他

第6回運営委員会決定のお知らせ　　(5月10)

出席者　畑田　楠条　樋口　桜井　梶なが　梶井　奥なが　佐々木

報　告

I　財政

(I) 今年に入って主な支払（人件費・家賃など除く）

(1) 印刷費 1,160,000　(2) 返済金 370,000　(3) 敷金・謝礼 300,000

(4) 広告費・その他 200,000　　　　　　　　　合計 2,030,000

これにみあう財源は、売掛金（主に文化史）と賛助会費の集金をもってあてました。しかし、それではたりなく、畑田さんより 180,000-(印刷分) 波部さより 40,000円借入 合計 220,000円借入 完了しました。

(II) これからの支払手形

5/15	100,000	新報社	5/25	100,000	東銀座印刷	計 200,000
6/15	140,900	〃	6/25	74,479	〃	214,479
7/15	100,000	〃	7/25	50,000	〃	150,000
8/15	130,000	〃				130,000
					合計	694,479

新報社への支払はすべて『朝鮮研究』の印刷代金です。東銀座印刷のそれは『朝鮮の国際経済』『朝鮮人学校の日本人敗訴』の印刷費です。従って、8/15の130,000円を除き、他は、昨年度分の支払をやっているわけです。

(III) 上記支払手形にみあう財源は

(1) 文化史 450,000　(2) 朝鮮研究 410,000　(3) その他書籍 200,000　(4) 在庫　　　　合計 1,060,000 が

昨年度末までの売掛金の概数です。

すでに報告しておりますように『朝鮮研究』その他書籍の不良売掛金は、集金に具体的な努力を続けていますが、いますぐあてになるような状況ではありません。帳簿上の数字はともあれ実際の金ぐりは非常な困難が予想されます。考えただけでも、呼吸困難が起きそうです。

2　所債・賛助会

5月10日現在　応募口数 17口 170,000円（入金 40,000円）
　　　〃　　　賛助会員 3人 5口 30,000円（15,000円）

が現況です。

No.2

3. 講座
(1) 大旺講座 5/9 田駿 16名
(2) 日朝關係史 5/9 5名
(3) 朝野語、初・中級ともに続講されていますが、初級の講師大竹さんが転勤になり、井口さんにひきつがれました。

4. 庶務
『朝野研究』購読の案内状、約450通発送しました。14日現在申込みは3名です。 (5月1日より)

5. 『朝野研究』の進行状況
5月号は、18日頃発行できそうです。6月号の主論文に予定していた、法大のスミ氏が海外旅行のため書けないことが奥村さんより報告されました。

決定事項
1. 財政対策
基本的には次の方針でのぞむ。
(イ) 5月からの手形決済は、売掛金を極力集金し、あてる。
(ロ) あわせて在庫をへらすための対策を考える。
(ハ) 今年の『朝野研究』の支払は、今年度分の話代である。
(ニ) 人件費・家賃その他の諸経費は、所費・賛助会費でまかなう。

8月までの手形決済を売掛金の集金で解決できたとしても、それ以後の財政の見通しは、容易でない。『朝野研究』の話代が100%と集金できたとしても、なお印刷費にみあう状態にない。現状は (仮定)
有料購読者約600名×170円＝102,000
1,300部の印刷費が106,000円ですから、これだけで4,000円のマイナス。このほか、送料、編集などが赤字となる。
人件費・家賃その他諸経費に見合う所費・賛助会費も現状では
所属 100名×300円＝30,000. 賛助会と 75名×500円＝37,500
合計 67,500円ですから、ここでも月数万円の赤字となる。以上のことから
(イ) 他機関誌の有料購読者をふやすこと。他機関誌に広告をとること。
(ロ) 出版物の利益金を生むこと (そのために所属の募集が急がれる)
(ハ) 賛助金の募集
がきわめて緊急なものとなってきている。これをやりとうさないと、同じ道を歩ることになりかねない。具体的な措置として
(イ) 6月末まで運営委員1人平均最低2部ふやす。(現物見本は要望に応じ差上げる)

No.3

(3) 新役員候補は、財務委員会より、次の提案がされ承認された。
末松、横田、井上秀雄、中神秀子4氏に吉田さんが、
三宅、四方、赤尾、泉谷の4氏に渡部さんが、
白井、不野、奥拓、寺屋、秋元、武球、奥、安妹の8氏に佐妹が
掛川理一郎氏に森下さんが、桜井清氏に樋口さんが、おねがいする。
大枝、梶井、梶枝の3氏は運営委員会でおねがいする。

(4) 賛助会募集も引続き推進する。

2 講座
火旺講座のテーマ・講師は、毎月15日迄に翌月分を決定しない
とまた周読に掲載できない。定例部会を開き、一定の方針をもって
運営されることが、講座部会に強くのぞまれた。

5月所内研究会は、『朝鮮研究』6月号主論文執筆者におねがい
いすることになっていたが、執筆者未定のためできず、畑田さんを通
じ、今一度、スミさんに依頼することとなった。そして不可能のときは、
梶枝さんに月末頃お願いする。

3 『朝鮮研究』7月号内容

論文の狙い
(イ) 南北朝鮮で「日本」（近現代化史）をどう教えているか。
日本では「朝鮮」をどう教えているか、に焦点をあわせて執筆さた
のむ。

(ロ) 北の方は梁永彬さん、南の方は林周彬さんにたのむ。日本の方は
江戸川区の原忠彦さんにたのむ。

(ハ) 6月号に予定した小沢有作さんの『民族教育論』の書評を7月号にま
わす方が内容からみてふさわしい。同じく6月号に予定していた、吉田
比呂子さんの創作も、内容が民族教育に関連あるので、7月号にまわし
た方がよい。そのかわり、6月号の朝鮮戦争の関連資料などふやし、
充実させる。

(ニ) 時評は、川越敬三氏に、動向は、民族教育問題を取上げ
る。なお、具体的なことは、至急、論生部会を開きまとめる。

お知らせ   次の会議は（今後6月から）2/4日です。御予定をお忘いにします。

第7回運営委員会決定のお知らせ　5/24

出席者　　梶村．樋口．小沢．渡部．横井．
　　　　　木元．畑田．佐藤．

今回の運営委員会は．実務的な問題はほとんど討論されず．主に次のようなことが話しあわれました．

総会後の役員会のほとんどの時間が実務討議に使われてきましたので．ここ3ケ月の研究所の活動をふりかえって色々話しあってみました．

(1)　ここ数ケ月の研究所の運営．機関紙の内容など．全体として．まずまずといえるが．機関紙の内容に．なにか欠けているものがある．という点が出席者のほぼ一致した認識でした．

(2)　原因については　色々考えられるが．現在の国内外の諸情勢のなかで　朝鮮問題の位置づけが充分でないことが．誌面に今一つものたりなさを与えている．ということがかなり大きな理由の一つとみられる．

(3)　従ってこの面での検討がいそがれるし　今後引続き討論を深めてゆくことになりました．

(4)
　　宮田さんの病気が心配されていましたが　5月24日　東大病院でかなりの大手術を行いましたが経過は誠に良好で　6月4日に退院．現在　自宅療養を行っています．
「いろいろご心配をかけましたが　おかげ様にて元気になりつつあります．近く朝研にカムバックし．親しく　みなさんと研究活動を続けたい」という決意表明がありましたので　お伝えいたします．
　　快回復　心よりお祝い申し上げます．

第8回運営委員会決定のお知らせ　　6/13

出席者　　渡部．樋口．梶村．佐藤．井上．

I. 研究生について

　6月をもって研究生は修了いたしますが、去る5月28日、講座部会
（講師を含む）で総括を行いました。

（イ）　同じ講師が一年間担当した部会が、研究生の定着が比較的よか
　った。生徒に報告させた部会、講師の変更のあった部会、は結果
　的に（生徒の定着率）あまりよい成績をあげることができなかった。

（ロ）　講師の側からみて、参加している生徒の水準が一定でなく、教えるの
　に苦労をした。

（ハ）　最初の試みのため、不充分なことも多々あったが、研究所が従来
　機関紙などを通じ、不特定多数の人々に働きかけてきたものを、
　特定の人たち（約10数名の定着）に一年間にわたって、かなり強い
　結びつきをもつことができたことは大きな成果であったといえる。

（ニ）　今年も引続き二期生を募集する。要領は一年間の反省によ
　って、次のようにする。

　①　ゼミ形式にする。
　②　一人の所員が年間を通じて担当する。
　③　参加費として一人 1,200円を徴収する。
　④　申込者は面接を行い一定水準の人を募集する。
　⑤　コースは　A. 朝鮮史．　B. 日朝関係史の二つを作る。

　以上が報告、提案され、討論の結果、前記提案内容は
　全面的に承認されました。加えて次のことを決定しました。

（イ）　第一期研究生の取扱いについては、研究生の希望を尊重しつつ
　大体一つのグループにまとめ、引続き勉強をつづけてゆく。

IV　運営委員会資料　275

運営については、研究生の自主性を期待する。講師は専任の所員が必要と思われる。

(ロ)講師は、朝鮮史 ― 梶村所員、日朝関係史 ― 吉岡所員、第一期生 ― 宮田所員、とそれぞれ お願いしたい。~~吉岡、宮田所員にそれぞれお願いしたい。~~ 吉岡、宮田両所員には まだ了解をえておりませんが、よろしく お願いいたします。

(ハ)第二期生からは テキストを使う。テキストは近代史の方は、近く勁草書房から出版される 『朝鮮近代史入門』、関係史は昨年一年間の吉岡所員の講義内容を出版(出版社未定)それを使う。

(ニ)第二期生は 9月締切、10月より開講とする。

以上が決定しました。

Ⅱ 手形不渡問題について

(イ)経過。朝鮮研究所理事長古屋貞雄名の支払い手形は、2月の総会時に 亜東社 が責任を負うべきもの(文化史の印刷費製本代金など)と、研究所が責任を負うべきものと明確に分離され、それぞれが 期日に手形をおとし 大過なく5月まできました。

ところが5月20日、亜東社が朝鮮総商工会に売った文化史代金の一部、200万円 を手形でもらっていたのですが 不渡りとなりました。それが直接的な原因となり、6月4日 亜東社の大溝氏より 6月6日に亜東社が落さなければならぬ 200万円が どうしてもめどがたたなくなった。必死の努力を行ったが不渡を出さざるを えない状況 となってきたので よろしくとの話が 事務局長に 伝えられました。

早速、渡部、森下 両運営委員、理事長と事務局長が 連絡をとり、対策を協議しつつ、6日を迎えましたが 結局 亜東社の

方で 200万円の都合がつかず、日本朝鮮研究所、理事長古屋貞雄の口座がつぶれてしまいました。

　不渡が出ますと、手形交換所から公示されますから、すべての金融機関にわかります。従って研究所の手形をもっているところから、色々な問題が発生してきますので、早速次のような措置をとりました。研究所が責任を負うべき支払手形は、6月6日現在、東銀座印刷に224.500円、朝鮮新報社に370.000円、いずれも『朝鮮研究』の代金が主ですが合計594.500円です。

　6月6日夕方、渡部先生と事務局長両名で東銀座印刷の社長に面会、事情を話し、手形の期日に現金で支払う、今後の支払は、手形でなく、現金で支払う、という2点で好意ある了解をえることができました。

　6月14日、同じく渡部先生と事務局長の両名が新報社社長に面会、37万円の支払を10回の分割払いにしてもらうことに話が決りました。

　なお亜東社が責任を負う約600万円近い金額については

(1) 亜東社の責任で個々に解決してゆき、理事長には迷惑をかけないようにする。

(2) 理事長は最終的な責任を自分がとる、研究所には迷惑をかけないから心配しなくともよい。というものでした。

Ⅲ. 『朝鮮研究』について

(イ)　20日すぎに6月号が出ますが6月号が出たところで拡大編集会議を今月下旬に開き、機関紙の総括を行い今後の編集の参考にする

(ロ)　8月号の『文学特集』は細部については大村、梶井の両氏と相談決定す

　　　以上が決まりました。

◎　次の役員会は6月23日午後6時からです。今回は出席がよくありませんでした。お忙しいでしょうがよろしくお願いいたします。

第九回運営委員会議題 (6/28)

報告

1 火旺講座 ： 6/13 奥村皓一 27名

　　　〃　 ： 6/27 三上次男 28名

Ⅱ 全所員研究会 ： 6/8 梶村秀樹 5名

　　　　　　　　6/21 桑ヶ谷森男 6名

Ⅲ (イ) 朝鮮研究8月号の進行状況

　(ロ) 朝鮮研究総括について

Ⅳ 朝鮮研究の拡大状況

議題

(1) 朝鮮研究8月号の最終決定

(2) 現状分析及び南朝鮮研究会の促進

(3) 事ム局員の採用

(4) 所債の募集について

(5) その他

第九回　運営委員会で決ったこと

出席者　　小沢，渡部，畑田，橋井，梶村，
　　　　　比嘉，　佐藤

報　告

Ⅰ．　火曜講座　6/13　奥村皓一　参加者　27名

　　　　　　〃　　6/27　三上次男　参加者　28名

Ⅱ．　全所員研究会　6/8　梶村秀樹　参加者　5名

　　　　　〃　　6/21　桑ヶ谷森男　参加者　6名
　　　　　　　　　　　渡部　学

Ⅲ　(イ)『朝鮮研究』7月号の進行状況は　ほぼ予定
　　通り進んでいる．

　　(ロ)　編集委員会より「改版して3号が発行されたところで
　　拡大編集会議を開き，中間総括を行いたい」との提案が
　　なされた

Ⅳ　朝鮮研究の販売状況

　　年間定期購読者は，20名ふえた．60号を150部，61号
　　を200部，62号を300部，取次店に納品した．結果，
　　60号が約80部，61号が約110部，売れた．
　　横組の頃，一番よく売れた号で約30部若後であっ
　　たのに比較すれば，売れ行きは，かなり改善されてゆき
　　つつあるようだ．　しかし採算（印刷費）がとれるまでには
　　あと約100部の販路を拡大しなければならない．

Ⅳ　運営委員会資料　279

決ったこと.

(1) 次の火曜講座（7月25日）は村山正雄氏か石田英郎氏に「任那問題をめぐって」のテーマでお願いをする. 8月1ヶ月は休講とする.

(2) 7月の所内研究会の報告は, 梶井所員に「金達寿氏の文学史の問題点」

　　8月の報告は, 宮田所員に「日韓併合時の日本人の朝鮮観」を それぞれ行ってもらうようお願いする.

(3) さきの運営委員会で, 新規募集の研究生の「朝鮮近代史」の講師を梶村所員にお願いすることに決めたが, 宮田さんからの希望もあって, 梶村所員と入れかわることになった. 従って新しい生徒は, 宮田所員, 2年生は梶村所員が担当することに変更された.

　　「近代史」「関係史」とも7月上旬をもって一年が修了するので7月15日前後に講師, 研究生をまじえ, 今後の運営のあり方や研究所からのお願いなど話合う会をもつ.

(4) 現状分析研究会は, 今まで一度も開かれていない. 南朝鮮研究会は, 第一回目が流会となり, 運営は順調に進んでいないのが現状である. 諸状勢からみて, 両研究会の活動が急がれている. 担当者の活動が期待されるとの結論になった.

(5) 拡大編集会議を 7月4日, 午後5時30分 本郷学士会館に於て開く. 出席は, 編集委員のほか, 役員でない関係所員と多く出席してもらう.

(6) 事務局員の採用. 朝鮮語初級の受講生 鈴木さんに8月1日から勤めてもらうことに決定した.

(7) 所債募集

　6月末日まで「所債」募集金額 19万円（現金9万円）となっている。最低 40万円集める必要があることが確認された

(8) 『朝鮮研究』8月号「文字特集」の編集が別紙の通り決定した。

(9) 大変暑いので事務所に扇風機、ポットを至急購入備えつける。

　◎　次の運営委員会は、7月12日と26日の午後6時から事務所で行います。御出席をお願いいたします。

朝鮮研究 8月号（文学特集）

[別紙]

項　目	論　文　名	執筆者名	枚数	担当者	受稿日	参考
論文 I	糞地裁判をめぐって	大西	35枚			
論文 II	金達寿の文学史の問題点	梶井陟	〃			
論文 III	朝鮮文学にあらわれた日本人像		25枚			
書評 1	『生きている虜囚』によせて	獄崎	10枚			
書評 2	『赤い信号弾』	吉田比砂子 有森尚子	7枚			
時評	国会を終えて	吉岡吉典	11枚			
私の意見		太田義久	10枚			
動向	崔承喜招請委員会	間宮茂輔	11枚			
現代史の利			8枚			
日本人の朝鮮観		小沢有作	15枚			
文学(翻訳)	金日成の文学論	大村益夫				
研究の基礎		渡部学				
資料 1	現代文学 (イ) 評論 (ロ) 研究論文	大村益夫				
資料 2	〃 作品(翻訳)	石川 小倉 研究生				
座談会						
その他	金東希とわれわれ	林功三	21枚			

お知らせ

七月五日、本郷浮士会館において「第〇編集会議」を開きましたが、あいにくの都合がつかず、出席者は渡辺・杉村・佐藤の三名にて実質流会になってしまった。

同封の別紙印刷物は、次の日の討議の参考にするため佐藤がまとめた資料「私見」です。運営委員長と相談の結果、来る七月十二日の運営委員会にて、改めて機関誌の「中間総括」を行なうことにしました。事前に実議資料をお送りした次第です。

各運営委員が、それぞれお考えをまとめられ、御参下され、充実した総括ができることを期待しております。資料をお読み頂くとおわかりのように、研究所の基本的態度にかかわることも、議題になりますので、運営委員会の多数の御出席をお願い致します。

なお、御出席の際は、同封の資料をお忘れなく御持参下さい。

取急ぎ御連絡まで

　　七月六日　　　　　　　　事務局長　佐藤〇

運営委員各位

[別紙]

拡大編集会議資料

1 論文関係　　　　　　　　　　　　　　　よせられた意見

安保体制確立の一環としての外国人学校　　これを読んで頭が整理された。
制度（60）　　　　　　　　　　　　　　　（1名）
在日華僑の学校教育の一端について（60）　なし
ベトナム戦争と韓国経済（61）　　　　　　なし
韓国の大統領選挙について（61）　　　　　田駿氏に書かせたこと自体が
　　　　　　　　　　　　　　　　　　　　問題だ。ショックをうけた。（4名）
朝鮮における産業（61）　　　　　　　　　なし
朝鮮戦争と日本経済（62）　　　　　　　　むつかしくてわかり難い（2名）
ストーン秘史朝鮮戦争のもつ意義（62）　　大変参考になった。（2名）
麗水・順天蜂起（62）　　　　　　　　　　なし
座談会・民族教育の背景（60）　　　　　　なし
　　　　　その道をくり返さぬために（62）いきいきとしてよろしい。
　　　　　　　　　　　　　　　　　　　　教えられた。（2名）
その他・第一回日朝教育問題全国研究集会（60）なし
　　　　南朝鮮の資本家（61）　　　　　　出版されたかどうかの問い合わ
　　　　　　　　　　　　　　　　　　　　せあり。（1名）
　　　　今日のソウル（61）　　　　　　　なし。
　　　　古屋貞雄の喜寿と朝鮮文化史出版　中国問題でこれ以上紛争を
　　　　記念（61）　　　　　　　　　　　拡げないで欲しい。（1名）

2 連載

研究の基礎　①花郎道（60）　　　　　　参考になった。今少し詳し
　　　　　　②朝鮮朱子学（61）　　　　　ければなおよい。（1名）

時評　　　　①西欧に奪われたプラント市場
　　　　　　　（60）
　　　　　　②韓国大統領と日本見本市（61）　　なし
　　　　　　③派兵への演出（62）

現代史の手引①総論（60）
　　　　　　②時代区分（61）　　　　　　梶村さんという人はよく本を読ん
　　　　　　③文献解題（62）　　　　　　でいる人らしい、驚いた。（1名）

関係団体の動向①日朝科学技術の交流　　　なし

	② 朝人認可促進の会	修正主義的運動をなんで取り上げたか (1名)
	③ 12回大会を迎えた日朝協会	問題意識がなさすぎる (2名)
日本人の朝鮮観	① 治安責任者の朝鮮観 (60)	今少し、つっこみが欲しい (1名)
	② 庶民のなかの朝鮮観 (61)	面白かった (16名)
私の意見	① 庶民の常識 (60)	なし
	② 亡命と偏見 (62)	〃
書評	① 「朝鮮」	この評価は少し問題があるのではないか、学問の厳しさを知った (2名)
	② 「わが国での自立民族経済の建設」(60)	
	③ 「朝鮮史入門」 (61)	なし
翻訳	① 李箕永 創作方法の問題について (60)	参考になった (1名)
	② 〃 (61)	
	③ プロレタリヤ芸術宣言 (62)	共和国で否定された作家であるから広告は掲載できない (新報社) 大変参考になった (1名)
豆知識	① 朝鮮という言葉	なし
	② 朝鮮人民共和国	北朝鮮政府の評価していないものを扱うのは政治感覚がなさすぎる (1名)
	③ 朝鮮戦争	なし
資料	① 金東希・寄贈図書目録 (60)	便利であり、今後ものせてほしい (2名)
	② 朝鮮戦争 (62)	面白く、ためになった (1名)
表紙説明	① (60)	なし
	② (61)	〃
うめ草	東三河豊橋地方社会運動史	〃
編集後記	3回	〃

3 所員執筆者　15名，延人員 26名

岡田勝己	一	渡部学	T	座談会	4名
吉田典己	一	不忍賢輔	T	佐藤	T
佐藤重夫	T	奥村皓一	T	大槻健	二
畑田有作	一	藤島宇内	T	小沢有作	一
小沢陸	F	横田穂	二		
桜井清	T	秋元秀雄	二		
梶村秀樹	F	樋口雄一	正		
井上学	一				

4 所員外執筆者、10名，延 11名

田駿	（論文）	平井己之助	（動向）
川口寅之助	（〃）	山崎三雄	（論文）
菊浦重雄	（紹介）	清水克己	（動向）
中吉功	（説明）2回	虎毛武二	（意見）
細川廊専	（論文）	五十嵐顕	（動向）

座談会、7名

五十嵐顕	斉藤康春	長保治
横溝正	山本康吉	
田中克也	川瀬京子	

5 その他の意見

表紙，一人から否定的な意見がきかれたが，他は概して好評である。

目次，現在のスタイルを続けるべきだの声が数人よりあり，否定的な意見はなし。

その他，(1) 他の同じような傾向の雑誌にくらべ充実した内容である。
(2) 立組になって，読みやすくなった。したしみやすくなった。安くなったのが一番気に入った。
(3) 編集が垢抜けしてきた。
(4) 研究誌らしくなくなった。内容が薄く，浅くなったような気がする。
(5) 専門用語が多く，むつかしく，難解である。

(6) 字数を少くし、値段を安くし、あの発行部数では、3号発行できればよい方だ。

6 評価

充分と思われること。

① 思い切った改版を行って、そう目だったミスもなく、元の方がよかった、という声もないので、まずまずの出来といえよう。

② 改版になってから、多くの意見が上せられてくるところをみると、かなり読まれてきていると考えられる。

③ 安くなったのと、読みやすくなったのが原因と思われるが、店頭売がふえてきていることは、好ましいことである。

④ 所外の執筆者がふえてきているが、色々な点で歓迎すべきことである。

⑤ 原稿料なしで、毎月約200枚の原稿が集まっている。また、多くの所員が原稿依頼によく協力している。

⑥ 村松、田中両氏の献身的な協力によって、割付がきれいになり、誤植が少なくなって、雑誌の権威が高まってきた。

⑦ 当然なことであるが、よかれ、あしかれ研究所独自の判断と責任において編集を行ってきた。

不充分と思われること。

① 日韓条約妥結後の諸情勢、諸分野との関連で朝鮮問題を位置づけた論文が決定的に不足している。

② ほとんどの分野で、色々問題があるようだが、その割合に問題提起が少ない。ときがときだけに、やむをえない事情もあるが、それにしても、あたらず、さわらずの論文が多いようだ。そのなかにあって、横田氏の「書評」は注目された。

③ 論文、連載物ともに、運動（論）に関係したものが少ないのが気になる。

④ 読物風（大衆的）なものが毎号一本欲しい。実際の社会をありのまま反映したものも毎号一本欲しい。

⑤ どちらかというと「締切日」を守らないのは、所外より、所内の人の方が多い。依然として書き手の不足が改善されて

Ⅳ 運営委員会資料　287

いない。

⑥ 編集会議の定例化が守られていない。編集上の細部の処理は、事務局長の独断（時間の問題もあるにはあるが）にまかされている。

7 討論点

1. 必ずしも誌上でやらなければならないというものとも思わないが、朝鮮問題の位置づけを急ぐ必要があるのではないか。

2. 積極的、かつ慎重に問題提起を誌上で行って行く必要があるのではないか。

3. 誌上での討論の活溌化がのぞまれる。

4. 特集と連載という形式を継続した方がよいと思われるが。

5. 韓雪野氏を扱ったことで、新報社が広告をことわったことと、田駿氏に書かせたこと（内容についてではなく）自体を否とする意見・考え方について、編集部の意志統一の必要。参考までに、7月3日朝大購買部より電話で、『連帯の歴史と理論』は販売しないことになった。『国際路線』は、朝鮮語のものを生徒が読まなくなるので、返品するといってきた。

6. その他。

8 部数の推移

(1) 62号迄現在の個人購読者数 ： 300名
(2) 書店・団体他 ： 338冊
(3) 今年度購読者申込者 ： 41名
(4) 58号より購読中止 ： 14名 +（朝・柏・仙台）10冊
(5) 現在購読者数総合計 ： 655

288　拡大編集会議資料

[別紙]

私見 [「特殊部落」発言への批判に対する日本朝鮮研究所の対応の経緯をまとめた文書]

1 本誌、一九六八年一二月号に、旗田巍、安藤彦太郎、幼方直吉、梶村秀樹、宮田節子の六氏による「日本における朝鮮研究の蓄積をいかに継承するか⑬——日本と朝鮮というシンポジユムを掲載した。そのなかで旗田巍氏が「朝鮮史研究というのは、なにか日本の歴史の中でも、特殊部落的なものになっている」（同号二三頁下段）という発言を行い、編集部も編集過程で、それをチェックできず、そのまま読者に配本した。

同誌が、読者に届くや、ときを移さず、数名の読者より、きびしい抗議と批判がよせられてきた。編集部は、シンポジユム出席者の旗田、梶村、宮田氏に抗議の手紙を回覧し、幼方氏には、口頭で伝え、既報のごとく、一九六九年一月号に「おわび」を掲載した。毎年二月は、本研究所の定期総会であり、総会準備の過程で、本問題が討議され、それの克服が、事業活動方針のなかにしるされた。また、同じ座談会がシンポジユム・日本と朝鮮③（勁草書房より発行）に掲載されることになっており、「特殊部落的」という個所を別な表現にかえることを勁草書房に連絡、改め発刊した。当時の運営委員会は、大体この一連の措置をもって、一応この問題は、かたづいたという考え方が支配的であった。

ところが、二月下旬、再度神戸市の西田秀秋氏より、一月号の「おわび」では、不充分であり納得しがたいというひかえめの抗議の手紙をうけとり、また、三月上旬、部落解放同盟本部右田事務局長が来訪、本件に対する研究所の考えと克服の方法がただなされた。しかし当時の運営委員会は、依然、本件のもつ重大さにほとんど気がつくことができずにいた。

三月二三日、神戸部落問題研究会より、佐藤事務局長に「在日朝鮮人問題」の講演依頼があり、神戸市を訪問した（渡辺研究生も同行）際、本件について、運営委員会の討議内容と対策について、具体的な質問と見解を正された。一方、部落の青年及び在日朝鮮人青年たちとの懇談会などに接し、本件

私見［「特殊部落」発言への批判に対する日本朝鮮研究所の対応の経緯をまとめた文書］

階級的視点からとらえているが、朝鮮についてはおかしいなどということを聞く。…私には朝鮮問題がむしろとらえられなければそれは国内の階級的視点も、どこかおかしい点があるように思えるのだが」（四頁上段）という記述と、一方、一二月号座談会の「特殊部落」云々の発言は、階級視点の欠陥の表明以外のなにものでもなく、この発言と六月号の上記記述は筆者のどのような内面的な変遷を経て書かれたものかとの質問が西田氏よりなされた。

④ あわせて 昨年一二月差別発言があって六月までの約七月間、本運営委員は、自己の研究姿勢及び方法論も含め、何を考え、どううけとめてきたかが、出席者全員より述べられた。それにたいし西田氏より、部落、朝鮮人差別の具体的な現状とその克服の実践をふまえての問題点と傾向が、各運営委員によせられた。

一〇時間に近い話合いをまとめると以上であるが、運営委員一同が、この話合いを経てもっとも深刻な衝撃をうけたことは、差別のすさまじい現実をつきつけられたとき、前述の運営委員会の討論や理解、うけとめ方が、いかに観念的であったか、換言するならば、資本主義社会のもっとも矛盾の集中点にある部落及び在日朝鮮人の現実をほとんど知らなかった、いや知ろうとせず「日本人の朝鮮観の変革」や被抑圧民族との連帯や友好を口にしてきた。われわれの姿が鏡に映しだされたということであった。

西田氏は、その発言のなかで「部落の青年たちの生いたちをテープに収録し、もっているが、それは他に発表（本などに）するのではなく、なにかの機会にその人が現実にくじけそうになったとき、それをともにきき、はげましあうためにとってある。それはどこまでいっても、その人のためのものであり、それ以外の目的ではない」と語っていたし、朝鮮青年は「おまえらは、朝鮮を喰い物にしているだけだ」

8

と指摘した。「喰い物」にしているという内容は「おまえらは口先で「朝鮮人にたいする差別を直視する」とか「日朝友好のため」に研究する」とかいっているが、結局はおれたちを利用して格好いいことをいっているだけだ。苦しいところでがんばっているなんていうが、おれたちを喰い物にして名前を売っている。本もだしている。社会的地位もえているじゃあないか」ということだった。

そのような基準で、われわれの研究姿勢を、また本誌に掲載された諸論文をはじめ研究所の運営姿勢を検討したとき、胸を張って、そうでないと答えることができるであろうか。上述の現運営委員会の討論経過が如実に物語っているように、反論の言葉を発する資格がないことを承認せざるをえない。

そもそもことの起こりは「特殊部落(的)」という言葉に端を発している。その用語と用法は、主観的には差別用語としてではなく、形容詞として用いたものだと考えられていた。従って、抗議をうけたとき、かなりの運営委員がある種のとまどいを感じたことは否定しがたかった。し、同団代表を迎えるその瞬間まで、その考えは完全に消えうせたとはいい難いものがあった。しかし恐しいまでの差別の現実と構造をつきつけられたとき、いかなる場合にもこの種の用語は絶対に使えない。たまたまこの種の用語を使わなかったとしても出席運営委員会全員が、具体的な人間差別の実態を知らず、自分は差別者(朝鮮人についても同じ)でないと考え、かつ書き、しゃべってきたこと自体が、まさに加害者であるということが問題なのである。このことは、朝鮮研究という範囲内にとどまらず、われわれの生き方それ自体が問われていると考えなければならない性質のものである。

われわれは、いまそれを指摘され、問題がなへんにあるかをようやく知りつつある。しかし提出された問題の深刻さを考えたとき、われわれの主観の才能や決意の表明を軽々しくできないことを卒直に表明せざるをえない。なにをどうすればよいかも真険に考え、討論をしつづけ、かつ研究所の業務を継続しつづけるが、

第11回 運営委員会討議資料 (7/26)

報告

1 研究生懇談会

2. 財務委員会報告 (別紙)

3. 編集委員会報告 (別紙)

議題

前運営委員会からの継続討議の

(イ) 韓雪野

(ロ) 人民共和国掲載問題

(ハ) 共産党. 総連との対立問題　等々.

[別紙]

収入明細（1967年1～6月迄）

	1	2	3	4	5	6	合計
所 ?	7,200-	4,200-	14,400-	4,300-	3,600-	16,200-	49,900-
補助金役	—	108,000-	216,000-	87,000-	12,000-	91,000-	514,000-
売 上 金 (朝鮮研究)	184,300-	31,050-	85,060-	34,840-	20,520-	18,580-	374,350-
売 上 金 (朝鮮研究)	9,530-	7,400-	14,930-	41,260-	66,840-	56,140-	196,100-
売 上 金 (日・朝・中)	8,850-	175-	1,250-	750-	450-	4,500-	15,975-
売 上 金 (手引)	2,490-	150-	3,120-	300-	150-	270-	6,480-
売 上 金 (協定集)	—	—	—	—	8,000-	—	8,000-
売 上 金 (日本人教師)	14,580-	5,460-	8,280-	2,520-	9,448-	1,450-	41,738-
売 上 金 (国際路線)	32,644-	2,058-	11,368-	780-	3,392-	1,590-	51,842-
売 上 金 (水産業)	3,900-	11,440-	45,175-	10,400-	64,135-	5,460-	140,530-
売 上 金	334,600-	408,600-	434,000-	97,160-	109,000-	97,200-	1,480,560-
	—	—	—	400-	5,000-	—	5,400-
	—	—	—	3,700-	3,700-	5,500-	12,900-
	2,400-	3,185-	—	500-	120-	100-	6,305-
	150,000-	325,440-	40,000-	39,000-	60,000-	—	614,440-
その他 書店関係	66,049-	46,274-	32,240-	89,194-	26,209-	47,533-	307,499-
合計	816,543-	953,432-	905,843-	412,114-	892,564-	344,523-	

8月から10万すらはらう。

	1	2	3	4	5	6	合計
家賃		30,000-	30,000-	30,000-	30,000-	30,000-	15,000-
	73,000-	71,000-	57,000-	35,000-		70,000-	306,000-
	1,360-	13,425-	2,900-	3,929-	970,-	2,565-	90,010-
			19,190-	20,840-	20,300-	27,680-	24,949-
交際費	5,400-	140,	1,040-	1,180-		3,370-	11,130-
接待費	5,590-	1,440-	4,270-	8,410-	5,940-	5,840-	31,490-
		1,950-	15,174	3,269-	1,561-	1,295-	23,249-
	17,280-	12,175-	12,370-	12,900-	12,415-	12,115-	79,255-
	2,180-	22,458-	2,100-	200,-	3,700-	11,144-	41,782-
	—	96,800-	2,000-	5,000-	6,500-	1,000-	111,300-
	222,030-	135,885-	226,200-	100,595-	52,450-	30,000-	767,160-
	13,519-	15,063-	19,965-	13,108-	23,120-	21,964-	106,739-
でんわ料	6,559-	4,417-		6,687-	5,140-	7,158-	29,961-
	37,200-	8,790-	1,000-	5,504-			52,494-
			20,000-	10,000-	6,000-	5,200-	41,200-
	1,895-	100,555-	3,510-	5,290-	3,130-	52,149-	166,529-
	3,090-	12,470-	1,180-	1,020-	200,-	255-	18,215-
	60,-	975,-	33,185-	12,800-	36,510-	17,720-	102,050-
手形決済	520,000-	140,000-	300,000-	200,000-	200,000-	74,499-	1,434,499-
広告費		16,000-	100,000-				116,000-
					3,670-		3,670-
		300,000-					
合計	909,164-		85,188-	473,532-	411,606-	375,932-	

[別紙]

朝鮮研究　9月号の内容

項目	論文名	執筆者名	依頼日	担当者	受稿日	参考
論文 I	日本資本主義と朝鮮	守屋典郎				42枚
論文 II	併合時の日本人の朝鮮観	吉岡吉典				30枚
論文 III		村松武司				40枚
書評 I	朝鮮問題研究記念号	川越敬三				10.5枚
書評 II	日本の韓国併合	渡部学				10.5枚
時評		奥村晧一				11枚
私の意見				佐藤		
動向	日朝貿易委会			佐藤		
現代史索引				梶村		
日本人の朝鮮観				小沢		
文学(朝鮮)				大村		
研究の基礎				渡部		
資料 I	〕	梶井陟				
資料 II	金同店引曲	井口久美子				
座談会						
その他						

IV　運営委員会資料　301

第11回運営委員会決定のお知らせ
7月26日

出席者　宮田，畑田，森下(早退)，梶村，渡部，桜井，
井上，梶井，奥村(早退)，樋口，佐藤

報告

1. 研究生懇談会
　7月24日，本郷学士会館において，卒業式をかねた研究生との懇談会をもった。研究所からは，渡部，宮田，梶村，吉岡，樋口，佐藤の6名が出席し，研究生は，日朝関係史5名，日朝近代史3名，朝鮮現代論2名，事務局1名合計17名の参加のもとに開かれた。
　出席者から研究所によせられた意見は大要次のようなものであった。
(イ)生徒の出席がだんだん悪くなっていったが，原因を考えてみる必要がある。研究所の側に不充分な点があったというか，具体的にはどういうことか。
(ロ)1つの事柄を深く教えてほしいと期待したが，実際にはそうではなく，がっかりした。(現代朝鮮論)
(ハ)研究所や担当者(所員)が責任を負うということが強調されたためか，生徒の側が先生の話をきくという，受身の姿勢に終始し，主体的に参加するということにならなかったように思う。(近代史)
(ニ)研究所は生徒を甘やかしすぎるのではないか。まず受講料を取らない。講代を払わなくとも，雑誌を送ってくる。そういった厳しさのない研究所の姿勢が生徒にも反映して，出席がルーズになったのではないか。(近代史)
(ホ)研究生同士の横のつながりが少なく，うちとけて話合う雰囲気がもっとほしかった。
　研究所側からは，
(イ)うまくいった研究会と，そうでない研究会との違いの1つは，研究生の自主的な比討役活動の違いにあった。現代朝鮮論の場合，生徒の力量の相違を考慮せず，画一的に報告を分担させたことと，担当講師の指導にも若干の問題があったとみられる。(佐藤)
(ロ)今回のような生徒の構成なら，講義8，研究2ぐらいの割合が適当と思われる。(吉岡)

(ハ)東京に100いくつかの大学があるが、このような形で、朝鮮の講義をやっているところはない。従って、自信と誇りとをもってよいと思う。(梶村)

(二)二年目の募集に「現代朝鮮論」がないようだが、必要なのではないか。(吉岡、その他)

申合せ事項

(イ)9月上旬に、二年に残る人たちと講師の、打合せ会をもつ。

(ロ)「現代朝鮮論」を設けるかどうかについては、役員会で検討する。

2. 財政状況

　今年度の6カ月分の収支明細表の特徴をあげると
(1). 収入の方では
　(イ)所費の入金があまりよくなく、賛助会費の入金増が
　　めだっている。
　(ロ)『朝鮮研究』の売掛金、売上金と合計すると、月約
　　95,000円＋10,000円（広告収入）で、ほぼ印刷費だ
　　けには近づいてきている。
　(ハ)前年度に比較して、雑誌以外の書籍の売上がふるわ
　　ない。（書籍別の売上金額は、研究所が直接売った
　　ものだけで、それぞれ「その他書店関係」の売上の
　　中にも含まれている）
　(ニ)この期間最大の収入は文化史の売上であった。この
　　金額は、ほぼ同じ期間に支払った手形金額にみあう
　　ものである。
　(ホ)1ヶ月の平均収入実績は文化史を除き（所費、賛助
　　会費、書籍）290,000円となっている。
　(ヘ)借入金と返済金の割合は、差引返済金の方が15万円
　　多い。従って、この期間15万円だけ借金は減ったこ
　　とになる。
(2)支出の方は
　(イ)1月から3月までは毎月約90万前後の金が動き、4
　　月から6月までは40万円規模で研究所は運営されて
　　いる。
　(ロ)6カ月の支出実績をもとに概算すると、毎月の支払
　　（印刷代金）を除き、最少限研究所を維持するのに必
　　要な人件費、家賃、経費は20万円である。
(3)表以外のこと
　(イ)前年度からひきついだ借入金
　　畑田重夫 10,000　古屋貞雄 100,000　宮田節子 150,000
　　渡部学 10,000　金剛出庫 120,000　　　計 390,000
　(ロ)今年度に入っての借入金（実質的に残っているもの）
　　現代朝鮮執筆者より　119,440　その他 30,000
　　計 206,680　　(イ)＋(ロ)＝596,480
　(ハ)このほかに亜東社に対する借入金（棚上）がある。
　(ニ)現在支払を約束してあるものは次の通り。
　　。新報社　毎月30,000×10回＝300,000（朝鮮研究
　　3月号までの代金）＊ほかに『在日本人教科』などの
　　印刷費20000円残っているから6月末現在　東銀
　　座印刷には計 500,000円未支払がある。

＊。東銀座印刷には 5月より ~~朝鮮研究~~ 100,000円
　　　　　　　　　　　　　　　毎月

304　第11回運営委員会決定のお知らせ

・大我堂に毎月15,000人8ヶ月約120,000円(コピーなど
　　　昨年度の事務用品)
　　　・ほか、若干小さな支払がある。
　　　・座栄社に支払う文化史の置掛金約150,000円
　(ロ)以上の負債、未払金に見合う、売掛金と在庫があれ
　　　ば、計算上はよいことになるが、昨年度の決算をみ
　　　ればわかるように、数字の上では、売上げはあるが、
　　　実際の運営になるとそうはいかない。

(4)　見通し
　(イ)過去　年の収入実績が今後も続くと仮定しても、毎
　　月約50,000円が不足となる。収入面で今後一番困難
　　と思われることは月100,000円近い賛助会費を確保で
　　きるかどうかということ。今一つは、日本たんにに
　　れ、出版物が古くなったり、売れゆきがわるくなると
　　いうこと。
　(ロ)支出面では、今までのように手形支払はなく、あるのは
　　(3)の(ロ)だけだが、逆に文化史の置掛金がほとんどな
　　くなってきている、で、事情はまったくかわらない。
　　小さな金額を集め、支払に充当しなければならない
　　だけに困難が予想される。

(5)　対策
　(イ)賛助会費の募集の促進　(ロ)売掛金の徴集の促進
　(ハ)新しい出版物の発刊　(ニ)雑誌の固定読者拡大と広
　　告募集　(ホ)広告の募集

　　以上の方針を財務委員会で決め、実行することにな
　　った。
　　具体的には、(イ)、(ニ)を宮用所貢が、(ロ)、(ハ)を佐藤が
　　担当し、運営委員をはじめ、所員に具体的に依頼す
　　ることにした。

決定事項

1. 韓雪野、人民共和国掲載などの件
　前回の運営委員会から問題になってきた、機関誌の
中■■■掲載に関連してきた、表記の件は、引
続き討論された。前回欠席していた畑田所員より、
意見が述べられ、それをめぐって討論が進んだ。結
論として

(1) 田駿氏執筆の件については、前回の結論通り、とか
くの噂のあったことを、役員の誰もが知らなかった。
(文書で全員に報告されているにもかかわらず、誰
からも異論がでなかったこと) その点については、
不明のいたすことで反省をする。但し、氏について
巷間伝えられていることを本役員会が確認するかど
うかは、全く別の問題である。今後執筆者の選稿に
ついては、充分注意する。

(ロ) 韓雪野、人民共和国だけに限らず、今後とも、大衆
団体朝鮮研究所と、その他の団体、例えば、総連、
革新団体などと、学問、研究、理論的な問題などで
見解が違うことは多々ある。その場合、解決の方法
として、機関と機関が正々堂々、私心なく話合って
解決する。
研究所と他団体と異なった見解や意見、行動が発生
すると、研究所の財政に困難を増すことが予想され
るが、その場合誠心誠意話合って、解決するよう努
力する。しかし、あくまでも自分たちの手で機関誌
を拡め、賛助会を求め、益々、日本人に依拠してや
っていけるよう財政基礎の確立を図る。

(ハ) 意見や批判は、書いたものが実際にあったことに則
してやってもらわなければ、けじめがつかなくなる。
噂などでレッテルをはすは、所の内外を問わず、
お互に慎しまねばならない。

(ニ) 従って、近い機会に関係団体と話合う努力をする。

2. 8月の所内研究会
   テーマは「運帯及び民族問題について」
   報告者　吉岡吉典
   （役員会後、研究部会で決定）

3. 所員で海外旅行をする者が増えている。所としては
   餞別の制度を設けるかどうか検討したが、設けない
   ことにした。

4. 『朝鮮研究』9月号の決定（別紙）

5. 「現代朝鮮語」を研究生制度の中に設けるかどうか
   の件は、「近代史」を「近・現代史」として対処す
   る。「現代 ████████ 」は梶村所員からすすめる。

6. 『朝鮮研究』4イ及売掛金名簿を別紙に掲げておい
   た。これらの人たちには、「この月中に入金ないしは
   その連絡のない場合は、雑誌の発送を打切ります」
   と通知してある。名簿の中で、お知合いの人がいた
   ら、側面からご援助願いたい。特に京都の武藤、鏑
   田両運営委員に京都在住の購読者に督促願いたい。

[別紙]

朝鮮研究 9月号の内容

項目	論文名	執筆者名	依頼日	担当者	受稿日	参考
論文I	日本資本主義と朝鮮	守屋典郎				42枚
論文II	併合時の日本人の朝鮮観	吉岡吉典				30枚
論文III		村松武司				40枚
書評I	朝鮮問題研究記念号	川越敬三				10.5枚
書評II	日本の韓国併合	渡部学				10.5枚
時評		奥村皓一				11枚
私の意見				佐藤		
動向	日朝貿易会			佐藤		
現代史の手引				梶村		
日本人の朝鮮観				小沢		
文学(翻訳)				大村		
研究の基礎				渡部		
資料I		梶井陟				
資料II	金同店別曲	井口久美子				
座談会						
その他						

◎8月の運営委員会は9日と23日の両日、午後6時より事務所にて行ないますので、よろしくお願い致します。

財政の現状と問題点

　　　　　　　　佐藤勝巳

　第十五回運営委員会で、佐藤が財政問題に関連し発言した内容を補足し、文書にしたものである。討論の素材として頂ければ幸いです。

　　　財政の現状

　七、八ヶ月の収支明細書（別紙参照）の合計は、約三〇万円余の損失となっている。がこの金額は、宮田さんへの毎月五万円の返済金を除かれている。新報社への支払いは含まれていない。従って実質上、約束を実行していくためには、あと四万円の収入増を必要としている。

　新潟県勝研会費の入金状況は月によって変動が激しく、三ヶ月の実績で判断すれば、年間収入を月割りにして約五万七千円である。

　残りの収入源は、書籍販売の利益金に求めることになる。本の書籍の売上げがある。朝鮮研究の売上げは（売上荒掛金合計）七、八月とすでに総七万円。その他書店店売上の在庫諸相数と購読料〇〇％、回収されだ──。一万数千円の赤字では、合当収入の増大と不当収入の額固定相続拡大と方当収入の～。機関誌の実状である。従って──焦眉の要である──。

　次は収入の二大きな柱である文化史の四六円から経の収入。～荒推金四日辺～一○万円。早期回収が終って～財政～二○万円～未回収～回収け～。代金は本来国定新報社に支払～今年に入って～読書の手形。差過去の問題の～

（三ヶ月収支合計資料参照）

(6)

二月総会の反省は……

が、我が一人でやってきた仕事を、みんなで協力し、それ以上の仕事をしなければならないということであろう。

総会後八ヶ月の実績は前述の通り、剣ヶ峯にたたされている。とはいっても運営委員が、決意を忘れたとか、実践をサボったとかいうものは決してない。逆に類似の団体に比較すれば、役員がこれほど自己犠牲を払って頑張っているところも珍らしい。にもかかわらず現状では、研究所の維持はきわめてむつかしいというのが現実の姿である。

従ってさしあたり研究所を維持してゆくためには、中心所員により多くの犠牲が要求されているということである。いくら会議で研究所の必要性や意義が確認されても、運営委員の具体的な行動、より多くの犠牲がともなわなければ、結果として二月総会の反省は空しい誓いであり、客観的には縮少への道、つまり敵階級との斗いで一歩一歩後退をはじめたということになる。どうしても斗いつづけるというのであれば、今までのような奇麗ごとでは断じて済まされないと考える。

カネはどうしてできる

研究生の竹沢君は、事務局員がみつからず、研究所が最も困難なとき、わずかな賃金で四ヶ月間、よく事務所を支えてくれた。角田さんも同じく多くの犠牲を払い、現在もなお毎週一回、自費で手伝いにきてくれている。井口君は病弱の体を押して、朝鮮語初級を教え通してくれた。『最近の朝鮮の協同農場』の翻訳も、研究生の井口、石川、小倉の三氏の協力をえ、出版したものである。

淡路町に移転してから、所員の協力はいうまでもないが、前記の人たちの献身的な協力で、まがりなりにも実務が処理され、所の機能がかろうじて保たれてきたといってもいいすぎではない。いうなれば、ここ一年でこのように具体的に、研究所の財産ができたのである。この人たちが研究所に結集してきた経過はほとんどが火曜講座に集った人で、それが朝鮮語や研究生へと定着していったものである。だからこの三つの講座が、どんなに重要なものであるか多言を要しないと思う。

さて、今年の研究生募集の実態は、運よく、まったく運よく毎日新聞に掲載されたからことなきを得たが、それまでは四名の申込者しかなかった。朝鮮語の初級は応募者四名で従来の最低である。しかも一〇月五日現在、教える先生も決っていないという状態だ。「現状分析研究会」は、テーマまで役員会で決めな

[別紙]　　　　収入明細　　　　　　　　支出明細

	7月	8月	9月		7月	8月	9月
所費	21,400	94,546	9,600	家賃	30,000	30,000	30,000
賛助会費	――	21,000	6,000	人件費	35,000	80,600	37,000
朝鮮語研究(受料)	16,500	232,424	45,550	アルバイト代	6,900	19,450	2,580
〃 (売上)	72,000	43,240	88,230	学費	4,220	2,280	3,720
売上金 連帯ゴム	250	3,325	12,293	支障・損保等	9,256	4,030	6,653
〃 チラシ	915	2,525	150	売配費	2,814	1,659	1,285
〃 協力定期	280	――	100	交通費	6,845	7,545	8,395
〃 日本人教師	1,710	1,440	3,600	資料費	4,390	900	8,000
〃 国際結婚	2,254	5,488	882	謝礼	12,500	3,600	1,000
〃 北〜産業	2,340	――	11,440	返済金	90,693	89,895	23,820
〃 文化史	63,600	111,000	58,000	通信費	16,771	5,105	23,164
その他書籍売上金	280	8,500	900	貸付金	2,200	――	1,000
委託図書売上金	8,690	29,989	10,820	電話料	8,095	9,265	7,343
書店入金	80,560	8,000	47,971	委託図書支払い	8,294	4,800	5,000
広告料	5,000	――	5,000	印刷費	5,000	95,000	16,500
会場費	2,200	――	3,400	事務用品	3,990	5,834	15,883
雑収		384	527	広告料	――		6,000
借入金	5,000	23,000	20,000	消耗品費	260	250	6,000
貸付入金	2,200	――	1,000	備品費	3,300	――	5,800
講習費	2,000		15,200	手形決済	50,000	15,000	――
前月末残金	33,586	8,196	22,869	雑支出	1,210	4,142	1,857
				仮払い	5,000	5,000	5,000
合計	321,965	388,757	360,367	合計	317,688	386,813	360,050

第 18 回運営委員会決定　1/9 於事務所

出席者　宮田、小沢、畑内、井上、梶井、桜株、佐株

報告
1　株聞誌などの増加状況（8/25～1/9）

小沢竹炎　7部 ⎫
中沢（読者）1 〃 ⎪
寄贈切替　5 〃 ⎬　固定19部＋書店 5 ＝ 26部
手紙　　　3 〃 ⎪
ミシマ書店　5 〃 ⎪
その他直接　5 〃 ⎭

大概運営委員より毎月 2,000円。井上秀雄運営委員より 1,000円の協力カンパ回答を頂いた。従って、株聞誌は 8/14～1/9 までの増加累計は 51部で、運営委員の協力カンパは 累計 23,000円となった。

決定
1　研究生の担当竹炎は、梶井、佐株の両氏とする。（2年生）
　研究生の希望によっては、2グループにわけることも考える。

2　研究生 1年生の担当は、宮田、吉岡（予定）佐株三竹炎とする。

3　『近代史の手引』300部を刷する。（増）

4　研究会の再開。
(1)　財政の基礎は、研究の蓄積にある。現状の改善が早急に必要である。
(2)　研究会の人数は、共通のテーマに関心のある竹炎 数名に限り、人数を多くしないことを原則とする。要するに接続できることを中心に考える。
(ハ)　従来形式的に存在していた名ばかりの研究会は、一応自然に委す。
(ニ)　今後各研究会の代表が運営委員となって運営に参加。研究と運営の一体化をめざし努力する。差当って、30年代の研究会の代表に、運営委員会に オブザーバーとして参加まじてもらう。

(1.) 財政 （別紙）

(2.) 機関誌及び賛助会の増加状況

(3.) 出版社との交渉経過

(4.) アンケートの回答（別紙）

(5.) 研究会の活動状況

(6.) 東銀座より印刷中止の意思表示

審議事項

1. 東銀座に対する支払計画と実行体制

2. 機関誌、賛助会の増加〈総会まで4部を実現〉

3. その他

[別紙]

42　入

	7月	8月	9月
さけ貨	35,000	5,400	2,200
整助会こ	44,000	65,000	12,000
朝鮮研究 売上	111,520	68,390	65,680
〃 売残	10,000	2,000	21,400
壮地史 差上		24,000	24,000
商品同寮吹	12,900	5,450	3,000
水産業	5,200	2,080	2,800
会五店	78,900	1,200	12,640
金世界ﾌﾟﾗｻﾞ	1,950	3,600	940
日本人旅師	810	810	450
外交只料	12,500	4,800	1,000
運輸97大	500	3,000	900
3会計業	1,050	500	980
委託図書	26,860	1,328	5,120
書店	91,887	69,209	33,808
他書店	100		300
講読料			600
借入金	159,840		20,000
カンパ	34,000	76,400	54,710
立替入金	1,920		
雑 収入	52,592	3,269	450
前月末残金	22,657	28,725	8,457
国際路線費	1,655	980	882
合計	701,542	331,921	462,117

支出

	7月	8月	9月
家賃	35,000	35,000	35,000
光熱費	2,370	1,592	1,750
人件費	78,000	105,000	50,000
通信費	14,236	9,378	15,425
交通費	3,260	5,830	6,910
印刷費	135,000	120,000	220,000
会場代	1,200		
厚生費	9,910	1,380	1,400
事務用品	30,300	22,930	29,165
電話代	3,806	10,896	9,132
消耗品代	250		
アルバイト	2,000	2,000	5,340
資料代	5,964		
振替代	1,700	1,200	240
前払	22,500		
広告料	2,000		4,500
委託図書えみ.	105,832		
返済金	22,680		
立替金		320	320
定期預金	20,200	20,200	20,200
仮支出	1,611	1,758	23,544
月末残金	28,725	8,457	36,141
合計	701,592	331,921	462,117

Ⅳ　運営委員会資料　319

未払い金

東銀座印刷

			支払	
1967年末	595.530			595.530
68. 1	{ 109.600	33.800 (予約)	10万	638.970
2	109.240		10万	648.210
3	108.850		10万	657.060
4	132.950		10万	690.010
5	{ 107.550	551.630 (全玉原)	10万	1.249.190
6	109.140		10万	1.258.330
7	{ 108.690	8.460 (振込)	10万	1.275.480
8	151.110		10万	1.326.590
9	126.800		21万	1.233.390
10	{ 128.525	14.500 (封筒)		

あけぼの社　　26.950

新報社　　235.040

未収金

朝鮮万年暦	{	一般読者	35万
		書店・日朝協会	25万
別冊			5万
賛助会費			7万
			72万

320　第18回運営委員会決定

[④アンケート回答]

	（1）	（2）	（3）	（4）	（5）
大槻	質問趣旨不明	大衆化、旧制懇話会との提携		ナシ	可能なかぎり
井上春雄	基本的に現状可 相互批判ができる体制が必要。	(1)現状で旧制関係の研究。(2)積極的に問題を提起すべき。	もっと旧制関係の研究を	(1)その田論える解答 (2)度考再吟味通り旅行せ	毎月 1,500円
村上武司	所得の全面的検討	オレフィンの受容と講座に関すべし…	(1)福祉民の問題の思想 (2)詩葉に関する摂究発表	文芸誌の主となること	(イ)目額 2,5…。 (ロ)本之(口)ふ…。 (ハ)そ…の会員など
大原正雄	質問趣旨不明	うなる論を含み、理論水準の向上。	自信なし	ナシ	できるだけ努力
大村忠夫	研究が可能な限り存続すべき。状況によればより一層拡大強化をなす	共同研究の欲求があるか、否かが問題。	近現代文学作品の研究を文学研のメンバーと同時に文学研の研究から研を研究を越える	文学作品の接取は摂取説話に向かのない道	科研予算の削減より、とる研究への投資、全優先を充える
坂本春夫	質問趣旨不明	綱領の得られまい。	穏とやや下り形小説と文学、美味の文字	可能	可能なかぎり努力
鈴木定雄	—	—	—	—	可能な限り協力
柳定某和	旧制懇会より協力関係の継立	—	—	1967年5月頃	積極的に協力
不明	—	相互交的の姿勢論議は有害	旧難文教化の完塔	1967年5月頃	積極的に大衆計算

Ⅳ 運営委員会資料 321

朝鮮研究11月号の内容

項目	論文名	執筆者名	担当者	依頼日	枚数	参考
論文1	朝鮮の価格系地代	梶井陟				
論文2	全連房の朝鮮大学史容見をめぐって	梶井陟				
論文3	朝鮮の封建的搾取		佐藤			
書評1	文献史史資料「三・一運動の」	宮田節子				
書評2						
日本評						
私の意見			佐藤			
動向	むくげの会	菅間まみ	宮田			
理論(紹介)	南朝鮮の農地改革	梶井陟	梶村			
日本の朝鮮観	「農民地に掲載」親への応援	小沢有作	小沢			
大学(朝鮮)	金日成大学論	大村益夫				
研究の基礎	実学思想のなかみ	鈴木信央	渡部			
随筆	朝鮮を訪れて思ったこと	奥保夫	佐藤			
資料I						
〃 II						

第18回運営委員会決定

編纂者紹介

井上學（いのうえ　まなぶ）

1943年岡山県生まれ。法政大学修士課程修了
日本朝鮮研究所・亜東社の後、日本図書館協会勤務。海峡同人
著書　『日本反帝同盟史研究』不二出版、2008
訳書　金旵一『李載裕とその時代』共訳、同時代社、2006
論文　「研究ノート　1945年10月10日「政治犯釈放」」『三田学会雑誌』
105巻4号、2013。『海峡』掲載論文　「史料紹介　軍事委員会「罪状書」
1948年5月1日」23号、2009、「戦後日本共産党の在日朝鮮人運動に関
する「指令」をめぐって」24号、2011、「資料紹介　高允京「強制退去」関
係資料」25号、2015、「日本共産党第4回・第5回大会決定「行動綱領」
「党規約における朝鮮問題」」26号、2015、「戦後変革期社会運動と朝鮮
問題—1946年4月〜5月」27号、2016
＊『海峡』創刊号〜25号の総目次は井上氏が作成し、25号に掲載され
ている。井上氏の戦前期の反帝同盟関係論文は同誌が参考になる。
『戦後日本共産党関係資料』解題不二出版、2008。他に2編の資料集が
ある。なお、本資料集の解説は絶筆と思われる。

樋口雄一（ひぐち　ゆういち）

1940年生まれ。中央大学政策文化総合研究所客員研究員、在日朝鮮人
運動史研究会会員、海峡同人
著書　『協和会—戦時下朝鮮人統制組織の研究』1986、『戦時下朝鮮農
民の生活誌』1998、『金天海—在日朝鮮人社会運動家の生涯』2014（以
上、社会評論社）、『日本の朝鮮人・韓国人』2002（同成社）、『戦時下朝鮮
民衆と徴兵』2001（総和社）、『朝鮮人戦時労働動員』2005、『東アジア近
現代通史5』（以上、岩波書店、共著）ほか
論文　「朝鮮人少女の日本への強制連行について」『在日朝鮮人史研
究』20号、1990、「植民地下朝鮮における自然災害と農民移動」『法学新
報』109巻1・2号、2002、「植民地末期の朝鮮農民と食」『歴史学研究』
867号、2010、「朝鮮人強制動員研究の現況と課題」『大原社会問題研究
所雑誌』686号、2015ほか
資料　編・解説『協和会関係資料集』1995、編・解説『戦時下朝鮮民衆の
生活』2010（以上、緑蔭書房）

在日朝鮮人資料叢書15　〈在日朝鮮人運動史研究会監修〉

日本朝鮮研究所初期資料　2

2017年4月15日　　第1刷発行

編纂者…………井上學／樋口雄一
発行者…………南里知樹

発行所…………株式会社 緑蔭書房
　　　　　　　　〒173-0004 東京都板橋区板橋1-13-1
　　　　　　　　電話 03(3579)5444／FAX 03(6915)5418
　　　　　　　　振替 00140-8-56567

印刷所…………長野印刷商工株式会社
製本所…………ダンクセキ株式会社

Printed in Japan
落丁・乱丁はお取替えいたします。
　　　　ISBN978-4-89774-179-6